Un Noson

Un Noson

Llio Elain Maddocks

Noddir gan
Lywodraeth Cymru
Sponsored by
Welsh Government

⊕ **CYNGOR LLYFRAU CYMRU**

ISBN: 978 1 80099 211 5
Argraffiad cyntaf: 2022

© Llio Elain Maddocks a'r Lolfa, 2022

Mae'r prosiect Stori Sydyn/Quick Reads yng Nghymru
yn cael ei gydlynu gan Gyngor Llyfrau Cymru
a'i gefnogi gan Lywodraeth Cymru.

Argraffwyd a chyhoeddwyd gan
Y Lolfa, Talybont, Ceredigion SY24 5HE
gwefan www.ylolfa.com
e-bost ylolfa@ylolfa.com
ffôn 01970 832 304
ffacs 832782

7 DIWRNOD TAN Y BRIODAS

Jacob

Dwi'n casáu priodasau. Dwi'n casáu'r holl ffws a ffwdan am un diwrnod hir a diflas. Dwi'n casáu cacennau priodas, sydd o hyd yn rhy sych. Gorfod ffug-chwerthin ar jôcs gwael y gwas priodas, a gwenu bob tro mae'r ffotograffydd yn dod heibio. Y blodau pinc a'r holl ffrils. Dwi'n casáu pob dim am briodasau, ond mae un peth dwi'n ei gasáu yn fwy na dim byd arall. Ti'n gallu dyfalu be? Pobl yn gofyn ai fi sydd nesaf. Pobl sy'n gofyn, 'Pryd wyt *ti*'n mynd i briodi, Jacob?' Wel, meindiwch eich busnes, dwi eisiau dweud wrthyn nhw. Ond fedra i ddim siarad fel'na mewn priodas, felly chwerthin yn gwrtais fydda i fel arfer. A dwi'n siŵr dy fod ti'n gallu dychmygu fy stumog yn suddo pan ffoniodd Mam dair wythnos yn ôl.

'Ti'n dal i ddod i briodas Rhys, wyt?' meddai hi i lawr y ffôn.

A dweud y gwir, ro'n i wedi anghofio popeth am y gwahoddiad. Dyna un peth defnyddiol am fyw yn Ffrainc. Mae gen i esgus gwych bob tro mae gwahoddiad priodas arall yn cyrraedd drwy'r post – dwi'n byw yn rhy bell. Dwi'n ticio'r blwch 'Na' gyda gwên cyn gyrru'r gwahoddiad yn ei ôl. Ond pan ddaeth y cerdyn gan Rhys, ro'n i'n methu gwrthod. Fy ffrind ers i ni fod yn ein clytiau, a'n mamau yn ffrindiau gorau hefyd. Roedd yn rhaid i mi fynd.

Felly, wythnos cyn y briodas, paciais bopeth yn y car a gwneud y siwrne hir adre. Ac roedd hi'n siwrne hir iawn hefyd. Gobeithio bydd Rhys yn gwerthfawrogi'r ymdrech! Chwe awr mewn car, tair awr arall ar fferi, a phump awr ARALL yn y car eto. Ond dwi ddim yn meindio. A dweud y gwir, dwi'n mwynhau treulio amser yn y car. Y car ydy'r peth pwysicaf yn fy mywyd – efo hwn dwi wedi cael y berthynas hiraf erioed. Cannwyll fy llygad. Peugeot 205 Cabriolet gwyrdd. Mae rhai pobl yn meddwl ei fod yn edrych fel car Lego, ond mae pob mecanic gwerth ei halen yn gwybod mai dyma un o'r ceir gorau erioed. Ro'n i'n methu credu fy lwc pan ddaeth un o gwsmeriaid y garej â'r car i mi. Roedd o eisiau ei werthu. Fedri di goelio, gwerthu car fel hwn? Fe brynais i o'n syth ganddo, am bris da, a threuliais fisoedd yn tincran efo'r injan, ac yn ailbeintio'r corff nes ei fod o'n sgleinio fel newydd. Felly mae hi'n reit braf cael eistedd ynddo ar daith mor hir.

Dwi heb fod yn ôl yng Nghymru ers blynyddoedd, a dwi ddim wir yn gweld eisiau'r lle chwaith. Dim ond Mam sy'n fy nghysylltu ag adre erbyn hyn. Does gen i ddim ffrindiau ar ôl yno, heblaw Rhys. Dwi wedi creu bywyd i fi fy hun yn Ffrainc, sy'n syndod. Symudais yno yn ddirybudd a doeddwn i byth yn meddwl y byddwn i'n hapus yno. Ond unwaith setlais i yn y pentref bach y tu allan i Rochefort, cliciodd fy mywyd i'w le fel jig-so. A rŵan mae fy mhlentyndod yng Nghymru yn teimlo fel breuddwyd bell. Dwi wedi trio perswadio Mam i ddod i Ffrainc i fyw hefyd, ond ddaw hi ddim. Does ganddi ddim atgofion da o'r lle. Ond wna i ddim dy ddiflasu di efo'r stori honno.

Dwi'n sicr ddim yn gweld eisiau'r tywydd yng Nghymru. Dwi wedi dod i arfer efo'r haul braf a'r môr glas erbyn hyn. Ond er 'mod i ddim yn berson sentimental iawn (a phaid â chwerthin ar fy mhen rŵan), ges i deimlad reit gynnes pan welais i'r lôn gyfarwydd oedd yn arwain at dŷ Mam. O'r diwedd dwi'n parcio o flaen yr hen dŷ, ac ar fy ngwir, mae Mam yn rhedeg allan cyn i mi ddiffodd yr injan. Mae'r drws ffrynt yn agor gyda chlec, ac mae hi'n rasio ata i a'i dwylo ar led.

'Jacob bach, ti adra!'

Dwi'n rhoi sws fawr iddi. Chwarae teg, mae hi'n amlwg wedi gweld fy eisiau i. Yna dwi'n dechrau dadbacio'r car. Dwi'n barod am baned, ond mae gan Mam syniad gwahanol.

'Na, na, na,' meddai, 'does dim amser i ddadbacio rŵan! 'Dan ni angen mynd i siopa am anrheg priodas.'

Does gen i ddim awydd siopa. Dim o gwbl.

'Mam, mae 'na wythnos i fynd cyn y briodas,' medda fi. 'Fedrwn ni fynd i siopa fory.'

Ond unwaith roedd Mam yn cael syniad, doedd dim modd ei pherswadio i newid ei meddwl. Felly i mewn â ni i'r car unwaith eto, a chychwyn am y dref.

'A be amdanat ti?' hola Mam yn syth.

'Wyt *ti*'n meddwl priodi'n fuan?'

Roedd hi'n mynd i fod yn wythnos hir.

Cadi

Dwi'n dechrau colli amynedd. Yn y stafell newid, mae'r twmpath o ffrogiau yn tyfu. Mae'n rhaid 'mod i wedi trio ugain ffrog erbyn hyn, pob un yn hyll neu'n gwneud i mi edrych yn hen ffasiwn.

'Ma raid i fi edrych yn dda yn y briodas 'ma!' gwaeddaf drwy'r llenni at Sioned, sy'n aros amdana i y tu allan i'r stafell. 'Mae'n ddigon trist 'mod i'n gorfod mynd ar ben fy hun pan mae Tom yn dod â'i gariad. Ma raid i fi edrych yn gorjys!'

'O'n i'n meddwl bo' chdi 'di dod dros Tom?'

'Dwi wedi!' atebaf, bron yn rhy gyflym. 'Ond dwi dal isio iddo fo ddifaru dympio fi.'

Mae hyn yn *embarrassing* braidd, ond wnes i ddisgyn dros fy mhen a 'nghlustiau mewn cariad efo Tom ar ôl dechrau mewn swydd newydd dair blynedd yn ôl. Roedd pawb wedi fy rhybuddio i beidio mynd allan efo rhywun o'r gwaith, ond anwybyddais bob cyngor. Am dri mis, fi oedd y ferch hapusaf yn y byd – nes i mi ddarganfod bod Tom wedi bod yn cysgu efo'i gyn-gariad ar hyd yr amser. A phan roddais i'r dewis iddo, hi neu fi, dyfala pwy gafodd ei dympio? Ie, fi. *Typical.* A'r peth gwaethaf ydy 'mod i'n gorfod ei weld bob dydd yn y swyddfa. Dwi'n methu dianc oddi wrtho fo. Dwi heb ddweud hyn wrth Sioned, ond dwi'n siŵr bod Tom yn dal i fflyrtio efo fi bob hanner cyfle. A'r jôc fawr ydy 'mod i'n teimlo fy hun yn fflyrtio'n ôl, bob tro. Dwi'n methu helpu fy hun. Pathetig.

Agoraf y llenni i ddangos ffrog arall, un ddu y tro yma. Mae Sioned yn tynnu wyneb.

'Ych, na. Ti ddim yn mynd i angladd.'

Caeaf y llenni a thynnu amdanaf unwaith eto, i drio ffrog arall, un felen.

'Dwi ddim yn coelio bod Rhys dal yn ffrindia efo fo, i fod yn onest,' meddai Sioned o'r tu allan.

Dwi, Sioned a Rhys yn ffrindiau gorau ers i ni fyw efo'n gilydd yn y brifysgol. Dwi'n cofio symud i mewn i'r fflat stiwdants fel tasa hi'n ddoe, a chyfarfod Sioned a Rhys yn y gegin. O fewn eiliadau roedd y tri ohonon ni'n chwerthin fel ffrindiau pennaf. Ers hynny, roedden ni wedi bod yn driawd agos, nes i Tom gyrraedd. Ro'n i wedi gwneud y camgymeriad o gyflwyno Tom i fy nghriw o ffrindiau, ac roedd o a Rhys wedi clicio'n syth. Dechreuodd y ddau fynd i gemau pêl-droed ac i'r dafarn efo'i gilydd, ac erbyn hyn roedd hi'n amhosib gwahanu'r ddau. Hyd yn oed pan ges i fy nympio, roedd Rhys wedi gwrthod cymryd fy ochr i. Wnes i ddim dangos iddo fo faint roedd hynny wedi brifo. Erbyn hyn do'n i ddim yn gweld cymaint ar Rhys, ond ro'n i a Sioned yn dal i fod yn agos.

'Na finna,' medda fi gan stryglo i gau'r botymau ar gefn y ffrog. 'Ond fel'na mae Rhys, 'de? Mae o'n rhy neis.'

Agoraf y llenni eto, gan obeithio y bydd Sioned yn licio'r ffrog felen yma. Dwi'n dechrau blino ar siopa. Ond mae Sioned yn tynnu wyneb eto, ac yn ysgwyd ei phen.

'No we, Cads,' meddai. 'Ti'n edrych fel un o'r Teletubbies.'

'Diolch, Sions.'

Dwi'n cau'r llenni unwaith eto ac yn tynnu'r ffrog dros fy mhen. O leiaf mae Sioned yn onest.

Daw llais Sioned o ochr arall y llenni yn dweud ei bod hi'n mynd i chwilio am goffi i ni. Gydag ochenaid fawr, llithraf i eistedd ar y stôl fechan yn y stafell newid. Dwi byth yn mynd i ffeindio'r ffrog iawn.

Jacob

'Mae'r merched 'ma i gyd yn edrych arna chdi. Pam na wnei di dy fam yn hapus a setlo i lawr?'

Mae hi'n iawn, mae merched yn dueddol o syllu arna i ble bynnag y bydda i'n mynd. Dwi ddim eisiau swnio'n *cocky*, ond mae o'n wir. Dwi wedi arfer â'r holl beth erbyn hyn, ond mae Mam yn dal i obeithio y bydda i'n dod o hyd i gariad yn y ganolfan siopa leol. Dwi ddim yn meddwl hynny, rywsut. Fyddwn i byth yn dweud hyn wrth Mam, ond does gen i ddim llawer o awydd setlo i lawr. Y gwir ydy 'mod i'n treulio'r rhan fwyaf o fy amser yn y gwaith, a'r peth olaf dwi angen ydy rhywun yn swnian arna i i ddod adre yn gynnar.

Paid â theimlo'n ddrwg drosta i, mae gen i ddigon o ferched draw yn Ffrainc (ond fyddwn i byth yn dweud hynny wrth Mam chwaith!). Ac mae pob un yn deall y sefyllfa. Dwi'n gwneud popeth alla i i osgoi perthynas, a hyd yma, mae'r tactics wedi gweithio. Dwi byth yn mynd â merch ar ddêt. Dysgais yn fuan iawn bod talu am swper yn rhoi'r syniad anghywir iddi. A dwi'n sicr ddim yn gadael i unrhyw ferch aros dros nos yn fy nhŷ. Dim brecwast, dyna'r rheol euraid. Ond mae'r merched yn ddigon hapus i gael perthynas hamddenol. Dwi'n gwybod yn iawn 'mod i ddim y teip i'w gyflwyno i'w rhieni. Dwi ddim yn rhy hoff o sgwrsio, dwi ddim yn siarad am fy nheimladau, a dwi byth adre. I ferched, rhywun i lenwi lle ydw i, nes eu bod nhw'n ffeindio rhywun call, rhywun aeddfed (yn ôl eu syniad nhw) sy'n barod i setlo.

Dwi'n dilyn Mam o gwmpas degau o siopau. Ar ôl bron i awr, mae pob *blender* a thegell a phlât yn dechrau edrych yr un fath.

'Be am roi cash mewn cerdyn?' gofynnaf yn obeithiol.

'Gei di wneud hynny, ond wna i ddim y ffasiwn beth,' meddai Mam. 'Mae pres yn rhy amhersonol. Be am hwn?'

Mae hi'n pwyntio at fâs hyll, a dwi'n ysgwyd fy mhen.

'Be am hwn 'ta?'

Ac mae hi'n pwyntio at fowlen ffrwythau bren.

'Ddim i Rhys,' medda fi.

'Wel, dwn i ddim wir.'

Dwi angen brêc o hyn. Gwelaf arwydd stafelloedd newid a gwnaf esgus 'mod i angen prynu crys ar gyfer y briodas. Dydy Mam ddim yn talu sylw – mae hi wedi gweld set o gwpanau te a soseri fyddai 'jyst y peth' i Rhys. Dwi'n amau ydyn nhw'n steil Rhys, ond does gen i ddim yr egni i ddadlau.

Cydiaf mewn dau grys heb edrych, troi y gornel tuag at y stafelloedd newid, ac anadlu'n ddwfn. Heddwch. Dwi'n eistedd ar un o'r soffas yn y cyntedd, sy'n llawn o ddynion yn aros am eu cariadon fel arfer. Ond heddiw mae'r lle yn wag. Yna clywaf lenni yn agor, traed yn rhedeg i lawr y coridor, a llais hapus yn gweiddi, 'Sioned! Ti dal yna?' Dwi'n troi i chwilio am y llais. A dyna lle mae hi'n sefyll o fy mlaen i, mewn ffrog goch, dynn. Dydy hi ddim yn disgwyl fy ngweld i, mae hynny'n amlwg.

Cadi

O mai god.

Mae 'na foi yn eistedd y tu allan i'r stafelloedd newid yn syllu arna i. A dwi'n gwisgo ffrog dynn, dynn sydd ddim yn gadael lot i'r dychymyg. Dim ond jôc i Sioned oedd y ffrog yma i fod. Do'n i ddim o ddifri. Dydy hi ddim fy steil i o gwbl. Ond rŵan, dwi'n sefyll o flaen y boi yma yn gwisgo dim byd ond y ffrog. A dydy o ddim yn dweud unrhyw beth. Mae o'n edrych arna i efo hanner gwên, yna'n edrych i lawr, i lawr, ac yn ôl i fyny.

Cydiaf yn gyflym yn y rêl o ddillad sydd wrth fy ochr a'i thynnu o fy mlaen. Ac unwaith 'mod i wedi cuddio'r ffrog oddi wrtho, edrychaf arno'n iawn. Mae o'n edrych fel dyn fyddai'n torri fy nghalon i. Dyn dwi'n gwneud fy ngorau i'w osgoi, ers Tom.

Ac mae o'n dal i edrych arna i heb ddweud dim. Felly dwi'n syllu yn ôl arno fo heb ddweud dim chwaith. Mae ganddo wallt cwta, llygaid gwyrdd, a chroen brown gorjys. Sut mae ganddo liw haul ym mis Mawrth? Falle ei fod o'n cael *spray-tan* – mae

15

o'n edrych y teip. Dyn sy'n poeni am sut mae o'n edrych a dim byd arall.

Edrychaf i fewn i'w lygaid a chodi fy ael. Ydy o am aros yna drwy'r dydd yn syllu arna i? A dyna pryd dwi'n sylwi ei fod o'n hanner gwenu yn ôl arna i eto.

'Sgiws mi?' medda fi o'r diwedd.

'Sdim angen ymddiheuro,' medda fo.

Ymddiheuro? Wel, am ddigywilydd! Fo ddylai ymddiheuro am syllu arna i, a finnau'n gwisgo dim ond y ffrog wirion yma.

'Dwi ddim yn ymddiheuro,' medda fi. 'Ti'n meindio?' Chwifiaf fy llaw tuag at fynedfa'r stafelloedd newid, i drio awgrymu ei fod o'n gadael. Ond dydy o ddim yn deall.

'Ddim o gwbl,' medda fo, heb symud modfedd.

Reit, dyna ddigon! Edrychaf arno'n rhyfedd am y tro olaf, a cherdded yn araf am yn ôl, gan dynnu'r rêl o ddillad i lawr y coridor efo fi. Dwi'n benderfynol o guddio y tu ôl i hon nes bod y boi'n gadael. Dwi'n cyrraedd fy stafell newid ac yn tynnu'r llenni ar gau, er mwyn gallu tynnu amdanaf yn saff. Ond mae'r ffrog fymryn yn rhy dynn a dwi'n methu cyrraedd y sip. Damia.

Jacob

Wel, roedd hynny'n ddigon i dynnu fy meddwl oddi ar anrhegion priodas.

Druan â hi – doedd hi ddim yn disgwyl i mi fod yn sefyll yno pan redodd i lawr y coridor. Ro'n i'n meddwl ei bod hi am drio fflyrtio efo fi, ond roedd hi'n amlwg yn eitha blin. Dylwn i fod wedi dweud rhywbeth, neu wneud jôc am y sefyllfa. Ond mae'n rhy hwyr erbyn hyn. Biti hefyd. Mi fasa hi wedi bod yn hwyl cael ffling bach wythnos yma.

Ymlaciaf ar y soffa fach gan wenu wrth feddwl am wyneb y ferch yn y ffrog goch. Dwi ddim yn barod i fynd yn ôl i siopa am anrhegion. Tynnaf fy ffôn o fy mhoced a thecstio Rhys i holi ydy o ffansi peint nos fory. Mae angen i mi wneud rhywbeth i gadw fy hun yn brysur.

Yna, i lawr y coridor, gwelaf un o'r llenni yn symud ychydig bach, fel petai mewn awel ysgafn. A chlywaf beswch. Ac yna, llais.

'Ym, helô?'

Y ferch yn y ffrog goch sydd yno, yn edrych dros y rêl o ddillad sydd y tu allan i'w stafell hi. Mae hi'n swnio'n llai blin.

'Helô,' atebaf.

'Ga i ofyn ffafr?'

'Ffafr?'

'Ia... dwi'n sownd. Yn y ffrog.'

Bron i mi chwerthin, ond wnes i ddim. Yn hytrach, codaf a chymryd un cam tuag at ei stafell newid. Mae ei bochau hi'n binc a dwi'n siŵr fod ganddi gywilydd mawr o orfod gofyn i mi am help.

'Tro rownd,' medda fi.

'Ocê, ond paid edrych,' ateba hithau.

'Dwi'n addo.'

Cerddaf yn araf i lawr y coridor tuag ati. Mae hithau'n troi ac yn gwthio'r rêl o'r ffordd, a dwi'n gwneud fy ngorau i beidio edrych ar ei phen-ôl.

'Fydda i byth yn gwisgo ffrog fel hyn fel arfer,' meddai'r ferch fel petai hi'n trio esbonio. 'Ond dwi'n mynd i briodas dydd Sadwrn a dwi'n trio gwneud rhywun yn genfigennus. Mae o'n dod yno efo'i gariad, felly dwi angen edrych yn hollol gorjys.'

Priodas dydd Sadwrn? Na, mae hynny'n ormod o gyd-ddigwyddiad. Mae'n rhaid bod degau o briodasau yn digwydd dros y penwythnos.

'Wel,' medda fi wrth ymestyn am y sip, 'mae'r ffrog yma'n siŵr o wneud y tric.'

Cadi

Ro'n i wedi bwriadu taflu'r ffrog goch yma ar ben y twmpath o ffrogiau eraill. Ond...? Wel, mae'r dyn yma'n amlwg yn ei hoffi hi. Ac os ydy'r dyn yma'n ei hoffi hi, mae Tom yn siŵr o'i hoffi hefyd. Efallai mai hon *ydy*'r ffrog iawn felly, meddyliaf.

Teimlaf ei law ar fy nghefn yn datod y sip yn araf ac yn ofalus. Unwaith mae o'n cyrraedd gwaelod y sip, dwi'n cydio yn y llenni ac yn eu chwipio ar gau. Dim siawns 'mod i am roi'r argraff anghywir iddo. Brysiaf i wisgo fy nhrowsus a'n siwmper.

'A beth amdanat ti?' holaf wrth wisgo. 'Be ti'n ei wneud yn y stafell newid? Wyt *ti*'n trio gwneud rhywun yn genfigennus hefyd?'

Distawrwydd. Dydy'r boi ddim yn rhy hoff o sgwrsio, mae'n rhaid. Ond yna, o'r diwedd, mae'n ateb.

'Cuddio.'

'Wrth dy gariad?' holaf, yn ddigon diniwed.

'Wrth Mam.'

Dwi'n chwerthin. Dydy o ddim yn edrych y teip i ddod i siopa efo'i fam.

'Druan â ti, yn gorfod cuddio fan hyn efo fi. Am be mae dy fam di'n siopa?'

'Anrheg priodas.'

Wel, am gyd-ddigwyddiad! Agoraf fymryn ar y llenni a sticio fy mhen allan, gan ddal i drio gwisgo fy siwmper yn iawn.

'Paid â dweud, dim priodas Rhys Davies, na?'

Dwi'n gallu gweld o'i wyneb o 'mod i'n gywir. Mae o'n edrych arna i gyda llygaid syn, ond yn dweud dim. Dwi'n edrych ar ei wyneb yn ofalus. A dweud y gwir, mae 'na rywbeth cyfarwydd iawn amdano. Dwi'n siŵr 'mod i wedi gweld lluniau ohono fo a Rhys mewn crysau rygbi ar Facebook dros y blynyddoedd.

'Wel, wel,' medda fi. 'Efallai wela i di yno, yn y ffrog yma! Neu efallai ddim, dwi dal heb benderfynu eto. Mae hi braidd yn dynn. Ond am fyd bach, yndê? Ac efallai ga i gyfarfod dy fam yno hefyd, os byddi di wedi stopio cuddio oddi wrthi.'

Mae'n gwenu arna i, rhyw hanner gwên fach ddireidus. Ac ydy, mae ei wyneb yn canu cloch. Dwi'n cofio fi a Sioned yn giglo wrth dynnu ar Rhys, yn dweud ei fod o'n cadw ei ffrind golygus oddi wrthon ni. Oedd o'n byw dramor? Yn yr Almaen ella? Beth oedd ei enw? Dwi ddim yn cofio, ond dwi'n cofio Rhys yn cyfaddef nad oedd gobaith y byddai'n ein cyflwyno ni, am ei fod o'n ormod o *playboy*. Ac o edrych arno, dwi'n deall yn iawn. Mae o'n edrych fel rhywun fyddai'n siŵr o dorri calon rhywun. Mae o bron yn *rhy* olygus.

'Dwn i'm,' meddai. Ac ro'n i'n siŵr na fyddai'n dweud mwy, ond yna mae'n chwerthin. 'Mi fyddai Mam eisiau i ti fod yn gariad i mi. Dyna mae hi'n ei wneud ym mhob priodas, trio 'nghael i i setlo. Mae'r holl beth yn gur pen, a dweud y gwir.'

Waw. Mae'r dyn dirgel yma *yn* gallu siarad! Tair brawddeg, un ar ôl y llall, ar ôl bod mor dawel. Ei fam druan, dwi'n siŵr y bydd hi'n disgwyl am byth. Dydy dynion fel hyn ddim yn setlo i lawr.

Mae'n gwenu arna i eto, ei ddannedd gwyn yn fflachio, ac yn gadael y stafelloedd newid. Wrth iddo gerdded i ffwrdd, dwi'n sylwi pa mor llydan a chyhyrog ydy ei ysgwyddau. Digon i wneud unrhyw ddyn yn genfigennus. A dyna pryd dwi'n cael y syniad.

Jacob

Dwi'n edrych ymlaen at adrodd y stori yma wrth Rhys. Mae o'n siŵr o chwerthin. Dwi'n methu credu 'mod i wedi cyfarfod ag un o'i westeion priodas o yma, ac wedi datod sip ei ffrog hi hyd yn oed. Am stori dda i'w dweud dros beint nos fory. Tybed pwy ydy hi? Ond mae Rhys yn siŵr o ddweud wrtha i, er nad ydw i'n gwybod ei henw.

Edrychaf o amgylch y siop i weld oes unrhyw olwg o Mam, a gwelaf ei phen yn hanner cuddio y tu ôl i res o gotiau smart. Mae ganddi fag mawr yn ei llaw, a dwi'n diolch i Dduw bod y siopa ar ben. Mae hi'n fy holi oedd y crysau'n fy siwtio, ond dwi wedi anghofio popeth am y crysau. Esboniaf fod gen i ddigon o grysau yn fy nghês fyddai'n gwneud y tro, ac mae'r ddau ohonon ni'n cerdded tuag at yr allanfa. A dyna pryd dwi'n teimlo llaw ar fy ysgwydd.

'Haia, cariad!' meddai hi. Y ferch o'r stafell newid. 'Dwi wedi penderfynu mynd am y ffrog goch, be ti'n feddwl? Sgen ti dei yr un lliw?'

Be sy'n mynd ymlaen? Pam mae'r ferch yma'n gwenu arna i fel peth gwirion, ac yn fy ngalw i'n 'cariad'? Edrychaf ar Mam i weld ydy hi'n deall, ond mae hi'n gwenu o glust i glust hefyd. Ydy'r ddwy'n chwarae jôc arna i?

'O mai gosh, dyma dy fam di?' gofynna'r ferch. 'O, dwi mor sori.'

'Sori am be, blodyn?' hola Mam gan edrych arna i.

Edrychaf yn ddryslyd ar y ferch. Gobeithio fod ganddi hi esboniad, achos does gen i ddim syniad be sy'n digwydd.

'Wel,' meddai hi, 'Cadi ydw i, a dach chi'n gweld, roedden ni am roi syrpréis i chi yn y briodas dydd Sadwrn. Gobeithio y byddwch chi'n hapus achos... 'dan ni mewn perthynas!'

A dyna pryd daw'r sgrech uchaf yn hanes y byd allan o geg Mam. Mae hi'n gollwng ei bag siopa (a dwi'n siŵr 'mod i'n clywed rhywbeth yn torri – sori, Rhys!) ac yn rhoi coflaid fawr i ni'n dau. Mae'n neidio i fyny ac i lawr fel petai newydd ennill y loteri.

O leiaf rŵan dwi'n gwybod enw'r ferch – Cadi. Mae Mam yn gafael yn fy nwylo ac yn edrych arna i yn ddisgwylgar. Does gen i ddim syniad beth i'w ddweud.

'Diolch am sbwylio'r syrpréis, Cadi.'

Rhoddaf fy mraich am ei chanol, a'i thynnu tuag ataf. Dwi'n gallu teimlo ei bod hi'n trio cadw'n ddigon pell oddi wrtha i, er mai ei syniad hi oedd hyn. Mae Mam yn edrych ar y ddau ohonon ni ac yn methu peidio â gwenu. Mae hi'n dechrau gofyn cant a mil o gwestiynau i Cadi, un ar ôl y llall fel bwledi. O ble mae hi'n dod, pwy ydy ei theulu, ydy hi'n edrych ymlaen at y briodas... Prin dwi'n ei deall hi, mae hi'n siarad mor gyflym. Ac yna dwi'n ei chlywed hi'n holi sut wnaeth Cadi fy nghyfarfod i – ydy hithau'n byw yn Ffrainc? Mae Cadi'n rhewi am eiliad, ac yna'n dweud bod rhaid iddi adael, a'i bod hi'n edrych ymlaen at ddod i adnabod Mam. Teimlaf Cadi yn rhoi rhywbeth yn fy mhoced, heb i Mam sylwi. Mae'n troi ata i, yn gwneud sioe fawr o ddweud ta-ta, a dweud y byddai hi'n fy ngweld i'n nes ymlaen. Ac wrth roi coflaid fawr i Mam, mae Cadi'n wincio arna i. Be ar wyneb y ddaear sy'n mynd ymlaen?

Cadi

Bron i mi gael fy maglu gan ei fam. Ro'n i'n siŵr ei fod o'n byw dramor, ac ro'n i ar fin dechrau sôn am yr Almaen tan iddi ofyn am Ffrainc. Ffrainc! Dwi'n gwybod fawr ddim am Ffrainc! Felly mi wnes i esgus cyflym i adael, a dwi'n meddwl 'mod i wedi dianc yn saff heb iddi fy amau.

Reit, ocê. Dwi'n siŵr dy fod ti'n meddwl 'mod i'n wirion bost. Ond dwi'n addo, mae gen i gynllun. Ti'n fy nghredu i? Gad i mi esbonio.

Pan welais i'r dyn dirgel yn cerdded o'r stafell newid, ei ysgwyddau llydan bron â chyffwrdd y ddwy wal, ro'n i'n gwybod yn syth y byddai Tom yn genfigennus ohono. Ac ro'n i'n desbret am ddêt i'r briodas. Felly penderfynais yn y fan a'r lle y byddwn i'n mynd i'r briodas efo fo, er mwyn gweld yr olwg ar wyneb Tom. Fi yn y ffrog goch, efo boi golygus ar fy mraich. Perffaith.

Ac oes, dwi'n gwybod bod ambell i wall yn y cynllun. Dwi ddim hyd yn oed yn gwybod enw'r boi – mae hynny'n mynd i fod yn broblem. Dwi'n siŵr y gallwn i ofyn i Rhys, ond dwi'n ofni y byddai'n dweud wrth Tom ac yn dinistrio'r cynllun cyfan. Mae'n rhaid i mi gadw hyn yn gyfrinach. A dydy o ddim fy nheip i o gwbl. Mae o'n amlwg yn un o'r dynion yna sy'n mynd o ferch i ferch. A does ganddo ddim llawer i'w ddweud. I fod yn onest, dwi'n amau ei fod o braidd yn ddiflas. Ond does dim angen iddo fod yn berffaith. Dwi jyst angen dêt. Dim ond am un noson.

Wyt ti'n credu yn fy nghynllun i erbyn hyn? Wyt ti'n dal i feddwl 'mod i'n wirion?

Yn syth ar ôl dweud ta-ta wrth fy 'nghariad' newydd a'i fam, dwi'n ffonio Sioned i esbonio be sydd wedi digwydd. Wel, dwi ddim yn esbonio popeth. Dwi ddim yn sôn gair mai perthynas ffug ydy hon, dim ond 'mod i wedi cyfarfod â bachgen golygus wrth siopa. Mae hynny'n ddigon o newyddion am rŵan. Mae Sioned yn eistedd mewn siop goffi gyfagos yn aros amdana i, felly dwi'n mynd draw i gael hyd iddi. Yr eiliad dwi'n ei gweld, mae hi'n ysgwyd ei phen fel petai hi'n methu credu'r peth.

'Dwed bob dim. Bob dim sydd newydd ddigwydd. Fedra i'm CREDU 'mod i wedi methu hyn,' meddai hi.

Ac felly dwi'n esbonio'r stori eto, gan ganolbwyntio ar y tri phwynt yma:

1. Pa mor dynn ydy'r ffrog goch;

2. Pa mor uchel oedd sgrech ei fam;

3. Pa mor genfigennus fydd Tom yn y briodas.

Ar ôl gorffen y stori, dwi'n dod o hyd i un o'r hen luniau o Rhys a'i fêt ar Facebook. Y ddau yn gwisgo crysau rygbi, a dannedd gwyn y boi dirgel yn disgleirio. Ie, fo ydy o, yn ddigon siŵr. Dangosaf y llun i Sioned ac mae hi'n gwichian yn uchel. Stwffiaf ddarn anferthol o gacen Sioned i 'ngheg a gwenu arni drwy'r briwsion. Mae ei hwyneb hi'n dweud y cyfan. Mae dydd Sadwrn am fod yn ddiwrnod i'w gofio.

6 DIWRNOD TAN Y BRIODAS

Jacob

Yn fy mhoced mae darn bach o bapur efo enw Cadi, a'i rhif ffôn. Mae Mam wedi bod yn fy ngyrru o 'nghof yr holl ffordd adre, drwy'r nos, a thrwy'r bore wedyn, yn gofyn cwestiwn ar ôl cwestiwn am y ferch, a finnau'n methu ateb. Bu bron i mi daflu ei rhif ffôn i'r bin ar un pwynt, gan feddwl nad oedd hyn yn werth y drafferth. Roedd yr holl gwestiynau am Cadi yn waeth na'r cwestiynau am setlo i lawr!

Diolch byth am gael dianc o'r tŷ i weld Rhys. Ac i gael peint, o'r diwedd. Prynhawn dydd Sul, dwi'n camu i'r gawod, yn gwisgo crys glân ac yn mynd i'r dafarn. Eisteddaf wrth fwrdd i ddau i aros am Rhys. Dwi wedi bod yn edrych ymlaen at ei weld. Er ein bod ni'n byw mewn gwledydd gwahanol erbyn hyn, mae bod efo Rhys wastad yr un peth. Byddai blynyddoedd yn mynd heibio, ond yna bydden ni'n dau yn cwrdd am beint a byddai'r blynyddoedd yn teimlo fel eiliadau. Dwi heb ei weld ers sbel, ers iddo ddod i

Baris i wylio'r rygbi un flwyddyn, a finnau wedi mynd i fyny i'w gyfarfod o. Cawsom noson i'w chofio wrth i Gymru ennill yn y Stade de France, a chanu 'Bread of Heaven' efo cannoedd o Gymry eraill ar y Champs-Élysées.

O fewn pum munud, mae Rhys yn cyrraedd ac yn prynu peint iddo'i hun.

'Iawn, mêt?'

'Iechyd da,' medda fi.

A dyma ni'n dechrau dal i fyny – fi'n siarad am rygbi a merched, a thywydd Ffrainc, a Rhys yn sôn am y briodas, y tŷ newydd, a Lisa. Does dim tinc o nerfusrwydd yn ei lais wrth iddo siarad am briodi Lisa. Chwarae teg, mae Rhys mor annwyl ag erioed, ac yn amlwg yn ysu am gael priodi ei gariad. Gwrthgyferbyniad llwyr i mi.

'Ei, gobeithio nad wyt ti'n meindio,' meddai Rhys ar ôl tua hanner awr, 'ond roedd un o'r bois yn ffansi dod yma heno am beint. Y gwas priodas. Mae o ar ei ffordd. Ti'm yn meindio, nag wyt?'

Fel dwedais i, mae Rhys yn annwyl, a dwi wedi edrych ymlaen at gyfarfod â'i ffrindiau. Dwi ddim yn nabod llawer o'r gwesteion priodas, felly bydd hi'n braf adnabod un person arall o leiaf. Ond pan mae'r boi yn cyrraedd, dwi'n newid fy meddwl yn reit gyflym.

Prin iawn y bydda i'n methu cynhesu at rywun, ond mae 'na rywbeth amdano sy'n mynd dan fy nghroen i. Sut fedra i ei ddisgrifio fo? Ti'n gwybod y bobl 'na sy'n ansicr ohonyn nhw eu hunain, felly maen nhw'n gorfod rhoi'r argraff eu bod nhw'n hyderus? Y rhai sy'n brolio eu hunain gymaint nes eu bod yn swnio'n ffals? Wel, dyna oedd fy argraff gyntaf i o Tom. Yr eiliad eisteddodd o rhwng Rhys a fi, roedd o fel petai'n ceisio cystadlu efo ni. Mae o'n Elevenerife go iawn. Ti'n nabod y teip. Os dwi'n dweud 'mod i wedi bod i Tenerife, wel mae o wedi bod i Elevenerife.

Dwi na Rhys yn chwarae ei gêm o, ond mae o'n dal i frolio ei hun. Wna i roi enghraifft i ti. Mae o'n sôn ei fod o wedi cael car newydd, ac ar ôl rhai munudau o frolio am y car drud, dwi'n gofyn am weld llun. Dwi'n licio ceir, dwi'n licio unrhyw beth efo injan, a dweud y gwir. Mae o'n trio dangos llun ar ei ffôn i mi, ond ar y sgrin mae ei gyfrif banc ar-lein. Dwi'n gallu gweld yn union faint o bres sydd yn ei gyfrif, ac ydy, mae'n swm mawr. Ond dwi ddim wir eisiau gwybod.

'O, sori,' meddai Tom gan newid y sgrin i ddangos y llun o'i gar newydd. 'Camgymeriad.'

Camgymeriad, fy nhin! Roedd o eisiau i mi weld ei gyfrifon. Dwi'n nodio ac yn gwneud rhyw sylw am y car. Mae o'n neis, ydy, ond yn rhy *flashy* o lawer i mi.

Ti'n gallu gweld sut foi ydy o? Ti'n gweld pam ei fod o'n mynd dan fy nghroen i?

Dwi'n cynnig nôl peint i bawb, achos er bod gan Tom lot o bres mae o'n gwrthod nôl rownd. A phan dwi'n dod yn ôl at y bwrdd mae'r ddau'n siarad am y briodas.

'Sa chdi 'di gallu dweud wrtha fi,' meddai Rhys.

'Ond be ydy'r broblem?' ateba Tom.

Dwi'n gosod y tri pheint ar y bwrdd ac yn dweud dim.

'Dim byd,' meddai Rhys, yn amlwg yn trio osgoi dadl.

'Be ti'n feddwl, Jacob?' gofynna Tom gan edrych arna i. 'Mae'n musus i'n methu dod i'r briodas dydd Sadwrn achos mae'n rhaid iddi weithio, a rŵan mae Rhys yn flin efo fi am beidio gadael iddo fo wybod. Be sy, Rhys? Ydy hyn yn effeithio ar dy *seating plan* di?'

Mae o'n chwerthin yn greulon ar y syniad yma. A ti'n fy adnabod i erbyn hyn – dwi'n casáu priodasau. Dwi'n casáu *seating plans* a'r holl ffws. Ond mae'r boi 'ma'n fy weindio i fyny a dwi eisiau achub cam fy ffrind.

'Ti braidd yn hunanol, Tom,' medda fi, ond mae Tom yn fy anwybyddu.

'Ti 'di mynd yn rêl merch ers trefnu'r briodas yma, Rhys,' meddai Tom, tra bod Rhys yn eistedd yno'n dawel. 'Ti'n poeni mwy am y blodau a'r ffrogiau na dim byd arall. Ti'm yn laff dyddiau yma.'

'Callia, Tom,' meddai Rhys, yn amlwg wedi cael digon ar y sgwrs. Mae o'n codi i fynd i'r toiled, ac yn fy ngadael i efo Tom. Grêt.

'Eniwe, efallai bod o'n beth da bod fy musus i ddim yn dod i'r briodas. Fedra i drio fy lwc efo un o'r morwynion! Fyddan nhw'n methu dweud na wrth y *best man*.'

Argian fawr, mae'r boi'n boen.

'Neu os dwi'n hollol desbret, mae fy *ex* i am fod yno hefyd. Os dwi ar ben fy hun erbyn diwedd y noson, ella wna i jyst cysgu efo hi.'

Dwi'n synnu bod cyn-gariad y gwas priodas wedi cael gwahoddiad.

'Mae dy *ex* di'n dod i'r briodas?' holaf.

'Yndi,' meddai Tom. 'Mae Rhys dal yn ffrindiau efo hi am ryw reswm. Dwn i'm pam. Ma'r hogan yn nyts. Hollol *obsessed* efo fi.'

'Dwi'n siŵr.'

'Mae hi. Yn dydy, Rhys?' gwaedda Tom dros y dafarn wrth i Rhys gerdded yn ei ôl o'r toiledau. 'Mae Cadi dal yn *obsessed* efo fi, dydy? 'Sa chdi'n ei gweld hi'n y swyddfa, mae hi'n methu cadw draw. Mae hi fel ci bach ufudd wrth fy ochr i bob munud.'

Mae Rhys yn codi ei aeliau ac yn dweud dim, dim ond cymryd swig o'i ddiod yn dawel. Felly Tom oedd y boi oedd wedi gwneud i Cadi brynu'r ffrog goch. Dwi'n dechrau teimlo piti drosti. Mae hi'n amlwg yn dal i deimlo rhywbeth tuag ato. Dychmyga ffansïo twmffat fel hwn. Wel, dim ond un ffordd oedd i'w roi yn ei le.

Tynnaf fy ffôn o fy mhoced a gyrru tecst cyflym at Cadi:

Jacob sy 'ma. Dwi'n gêm.

5 DIWRNOD TAN Y BRIODAS

Cadi

Arhosaf am y bwyd wrth gownter Burger King. Y peth lleiaf gallwn ei wneud oedd prynu byrgyr i Jacob, ar ôl ei orfodi i fod yn gariad i mi yn y briodas. Mae'n amlwg fod ei fam wedi cyffroi'n lân, a dwi'n dechrau meddwl bod y cynllun yma'n llawn problemau. Ond dyna fo, mae o wedi cytuno erbyn hyn. Mae hi'n rhy hwyr i droi'n ôl. Byddai ei fam yn torri ei chalon, druan. A byddwn innau heb ddêt.

Edrychaf ar fy ffôn wrth aros. Roeddwn i wedi cael tecst od gan Tom neithiwr, ar ôl un Jacob. Dwi'n methu penderfynu ydw i am decstio'n ôl. Ti'n meddwl 'mod i'n chwarae efo tân? Wel, wyt, mae'n siŵr. Ond gad i mi esbonio. Er 'mod i'n dweud wrth bawb 'mod i eisiau gwneud Tom yn genfigennus yn y briodas, a dweud y gwir, dwi eisiau mwy na hynny. Mae o wedi bod yn fflyrtio efo fi yn y swyddfa yn fwy aml, a dwi wedi clywed ei fod o a'i gariad yn ffraeo. Efallai fod 'na gyfle i ni drio eto. Dyma oedd y tecst yn ei ddweud:

Edrych mlaen i weld chdi nos Sadwrn. Mae gen i rywbeth i ddeud wrthat ti. Methu aros i weld be ti'n wisgo ;)

Dwi ddim yn mynd o 'nghof, nadw? Mae hwnna'n eitha eglur. Mae o eisiau fy ngweld i, eisiau siarad efo fi. Mae fy stumog yn troi fel reid mewn ffair wrth feddwl am y peth.

'Order 296,' meddai'r ferch y tu ôl i'r cownter, a chipiaf yr hambwrdd llawn dau fyrgyr, dau fag o tsips a dwy gwpan o Fanta. Lluchiaf lond llaw o *sachets* sos coch ar ben y cwbl a chamu'n ofalus drwy'r dorf. Mae Jacob wedi eistedd yng nghornel y stafell, ac mae o'n edrych fymryn yn llwyd.

'Ti'n teimlo'n ocê?' gofynnaf wrth eistedd.

'Mm,' meddai, gan gymryd llowciad o'r Fanta. 'Es i am beint efo Rhys neithiwr. Wel, mwy nag un peint.'

'O,' medda fi. 'Sut mae o?'

Ro'n i'n gweld llai a llai o Rhys y dyddiau yma. Mae lluniau ohono fo a Tom ar ei Insta-stories drwy'r amser, ond dwi ddim yn cael gwahoddiad i bartis na chwis tafarn na dim erbyn hyn. Mae Tom yn gwneud yn siŵr o hynny. Ro'n i'n hanner disgwyl peidio cael gwahoddiad i'r briodas. Mae Jacob yn mwmial rhyw ateb. Mae o'n edrych fel petai am gysgu.

Dwi wedi ei wahodd yma er mwyn sicrhau bod y ddau ohonon ni ar yr un dudalen. Er ein bod ni'n mynd i'r briodas fel dau gariad, dydy hynny DDIM yn golygu y gallwn ni ymddwyn fel dau gariad go iawn. Ffug ydy'r berthynas yma, dim ond am un noson. Ac ydw, dwi eisiau perswadio Tom ei bod hi'n berthynas go iawn. Ond dwi DDIM eisiau rhoi'r syniad anghywir i Jacob.

Tynnaf ddarn o bapur a beiro o fy mag. Mae sefyllfa gymhleth fel hon yn gofyn am drefn. Edrycha Jacob arna i'n od.

'Be ydy hyn?'

'Dwi am greu cytundeb,' esboniaf wrtho, gan roi dyddiad heddiw ar gornel uchaf y papur.

'Be wyt ti, twrnai?'

'Ia, dyna'n union ydw i.'

Mae bochau Jacob yn troi ychydig yn binc, ac maen nhw'n sefyll allan yn erbyn ei groen llwyd.

'Pam?' gofynnaf. 'Be wyt *ti*'n neud?'

Mae Jacob yn gwrthod ateb. Mae'n stwffio ambell i tsipsan i'w geg ac yn edrych arna i'n ddisgwylgar.

'Ocê 'ta,' medda fi. 'Wnawn ni ddechrau arni?'

O fewn deg munud, ro'n i wedi llunio cytundeb digon taclus.

Cytundeb Dêt Priodas Jacob a Cadi

1. *Bydd Jacob yn gwisgo tei coch, yr un lliw â ffrog Cadi.*
2. *Bydd Cadi yn perswadio mam Jacob i beidio holi Jacob am briodi BYTH ETO.*
3. *Bydd Jacob yn dawnsio gyda Cadi am o leiaf pedair cân.*
4. *Bydd Cadi yn rhoi ei phwdin i Jacob.*
5. *Bydd Jacob yn aros yn y briodas tan y diwedd.*
6. *Bydd Cadi yn prynu wisgi i Jacob ar ddiwedd y noson.*
7. *Dim cusanu. O GWBL.*

Oedd, roedd Jacob wedi anghytuno ar ambell bwynt (y dawnsio), ac wedi gwrthod rhai syniadau yn llwyr (prynu anrheg i Rhys gyda'n gilydd). Ond erbyn i ni orffen ein bwyd mae'r ddau ohonon ni'n hapus. Mae hyn am fod yn hawdd.

Jacob

'Hapus?' gofynna Cadi, ar ôl darllen y cytundeb allan yn uchel.

'Fel y gog.'

Dwi bron â chwerthin. Mae'r ferch yma'n hollol anymwybodol ei bod hi'n boncyrs. Roedd hi wedi dadlau pob pwynt yn fanwl, fanwl, ac wedi cofnodi pob manylyn ar y cytundeb. *Typical* twrnai! Syllaf arni wrth iddi arwyddo gwaelod y papur yn daclus, a chynnig y feiro i mi.

'Dwi hefyd yn meddwl y dylen ni gyfarfod o leiaf ddwy waith cyn dydd Sadwrn,' meddai hi. 'I ddod i nabod ein gilydd. Neu fel arall, mae pobl yn siŵr o amau.'

'Iawn,' atebaf. 'Tyrd draw nos Iau os ti isio.'

Mae Cadi'n edrych yn syn arna i.

'Draw?' Mae ei llais hi'n swnio fel petai hi'n nerfus. 'I dy dŷ di?'

Mae hi'n ddigon i fy nrysu i. Un funud mae hi'n gwbl hyderus, yn mynd drwy reolau'r berthynas ac yn mynnu cael ei ffordd. Y funud nesaf mae hi fel merch fach, ddihyder. Dwi'n dechrau meddwl ei bod hi'n llawn hyder yn ei gwaith ond yn eithaf dibrofiad gyda chariad.

'Neu,' medda fi, gan estyn am ei llaw, 'wna i dy gasglu di nos Iau, a mynd â chdi allan. Am ddêt go iawn.'

O ble ddaeth y geiriau yna? Do'n i heb fynd â merch ar ddêt ers blynyddoedd. Be sydd wedi dod dros fy mhen i?

Cadi

Dwi heb fod ar ddêt ers blynyddoedd. Go iawn, dwi ddim yn cofio'r tro diwetha i fachgen ofyn oeddwn i eisiau mynd am ddêt.

Be mae rhywun i fod i'w wisgo? Am be fyddwn ni'n siarad?

O mai god, dwi'n nerfus.

Er 'mod i'n gwybod yn iawn mai dêt ffug ydy hwn, dwi dal yn nerfus.

4 DIWRNOD TAN Y BRIODAS

Jacob

Dwi'n treulio'r bore yn rhoi sglein ar y car. Mae wedi baeddu'n ofnadwy ers i mi fod yn ôl yng Nghymru. Mae hi gymaint gwlypach yma nag yn Ffrainc. Mae gweithio ar y car yn rhoi cyfle i mi feddwl. Dwi wastad yn teimlo'n heddychlon wrth weithio gyda fy nwylo. Felly tra dwi wrthi'n rhoi sglein arno dwi'n meddwl am ddêt i Cadi. Os mai dyma ei dêt cyntaf ers tro, yna dwi eisiau rhoi profiad da iddi.

Ond dwi ddim yn berson rhamantus iawn. Efallai dy fod wedi sylwi erbyn hyn. Felly dwi'n rhoi caniad i'r boi mwyaf rhamantus dwi'n ei nabod. Rhys.

'Haia, mêt,' medda fi pan mae'n ateb.

'Haia, J, ti'n ocê?'

Gallaf glywed sŵn yn y cefndir, fel papur yn crensian.

'Ti'n brysur?' gofynnaf iddo.

'Nadw, sti. Lisa sy'n trio gorffen tri chant o elyrch origami erbyn dydd Sadwrn ac ro'n i wedi addo helpu. Ond dwi fawr o help. A dweud y gwir, dwi wedi dinistrio hanner yr elyrch yn barod, felly dwi'n siŵr y bydd hi'n falch dy fod ti wedi ffonio.'

'Mae gen i gwestiwn i ti,' medda fi'n ofalus. Sut dwi am ddweud wrtho 'mod i'n mynd ar ddêt efo un o'i ffrindiau? Ro'n i wedi bwriadu sôn wrtho yn y dafarn y noson o'r blaen, ond anghofiais bopeth am Cadi pan gyrhaeddodd Tom. 'Dwi'n mynd â hogan ar ddêt nos Iau. Digwydd bod, ti'n ei nabod hi. Cadi.'

'Duuuw, Cadi? Sut dach chi'n nabod eich gilydd?'

Esboniaf y stori am y stafell newid wrtho, heb ddweud gormod. Dwi ddim yn sôn gair am y berthynas ffug. Y peth olaf dwi eisiau ydy bod Tom yn dod i wybod y gwir.

'Byd bach,' meddai Rhys o'r diwedd wedi i mi orffen y stori. 'Wel, wyt ti isio gwybod be wnes i efo Lisa ar ein dêt cynta ni? Pacio bag efo blanced, potel o Prosecco, a digon o fwydydd bach neis, a mynd â hi i fyny mynydd. Mae rhai pobl yn meddwl bod picnic yn *cliché*, ond mae o'n *cliché* am reswm. Mae pawb yn joio picnic.'

'Picnic?'

'Go iawn, Jacob. Bydd Cadi wrth ei bodd.

Ac os dach chi'n mynd yn y nos, gewch chi fwyta dan y sêr. Rhamantus iawn, ac mae Cadi'n haeddu chydig bach o ramant.'

Dwi'n dawel am eiliad. Dwi mor falch 'mod i wedi ffonio Rhys – mae o wedi taro'r hoelen ar ei phen. Dwi'n dechrau cynllunio'r picnic yn barod.

'Hei, sori am Tom y noson o'r blaen,' meddai Rhys gan dorri ar draws fy nghynllluniau. 'Mae o'n gallu bod yn ormod. Mae'r boi yn rêl lembo weithiau.'

Dwi'n chwerthin ac yn gadael i Rhys wybod fod popeth yn iawn. Mae gen i groen digon caled. Ond jest i fod yn saff, dwi'n gofyn iddo beidio sôn wrth Tom 'mod i'n mynd â Cadi ar ddêt. Er mai perthynas ffug ydy hon, y peth olaf dwi eisiau ydy'r stori yn cyrraedd Tom. Yna daw llais Lisa'n gweiddi am Rhys ben arall y ffôn.

'Sori, mêt, mae'n rhaid i fi fynd – argyfwng yr elyrch origami! Wela i di dydd Sadwrn.'

Mae'n rhoi'r ffôn i lawr, a dwi'n mynd i chwilio am flanced bicnic. Mi fydd nos Iau yn ddêt i'w gofio i Cadi.

3 DIWRNOD TAN Y BRIODAS

Cadi

Dwi wedi bod yn poeni am y cynllun yma drwy'r dydd. Be os ydy Tom yn gweld drwy'r berthynas ffug? Bydd o'n meddwl 'mod i'n hollol pathetig. Dwi angen rhywun i fy helpu i wneud y berthynas yn un gredadwy. Dwi angen help Sioned.

Dwi'n anfon tecst, ac o fewn munudau mae hi'n dod draw efo potel o win. Prin mae hi wedi eistedd ar y soffa cyn i fi gyfaddef popeth. Mae hi'n gwrando'n astud efo ceg agored.

'Felly dach chi ddim yn mynd ar ddêt nos fory?' mae hi'n gofyn ar ôl i mi orffen egluro.

'Ydan,' medda fi. 'Nathon ni gytuno i gyfarfod cyn y briodas er mwyn dod i adnabod ein gilydd, rhag ofn i rywun ddyfalu. Ond dydy o ddim yn ddêt go iawn.'

'Ddim yn ddêt go iawn?'

Dwi'n ysgwyd fy mhen ond mae Sioned yn edrych arna i'n rhyfedd. Dwi ddim yn meddwl ei bod hi'n trystio'r cynllun.

'Be sy'n bod?' holaf yn ddiniwed.

'Dim,' meddai hi gan gymryd swig o'i gwin. 'Dwi jyst yn meddwl bo' chdi'n gwneud camgymeriad.'

'Be ti'n feddwl?'

'Wel, os dwi'n cofio'n iawn, nath Rhys ddweud wrthon ni bod Jacob yn chydig o *playboy*, ti'n cofio? Y llun hollol gorjys ar Facebook, a nath Rhys ddweud bod o'n cadw Jacob oddi wrthon ni'n fwriadol? Dwi ddim yn meddwl bod mynd ar ddêt efo fo yn syniad da.'

'Ond dwi ddim hyd yn oed yn ffansïo Jacob,' medda fi, ond dydy Sioned ddim yn fy nghoelio i. 'Ydy, mae o'n gorjys, ond mae o hefyd yn boring ac yn arwynebol. A beth bynnag, dydy o ddim yn ddêt go iawn,' medda fi eto. 'Un noson. Mae'r holl beth yn ffug, i wneud Tom yn jelys.'

'A dyna beth arall,' meddai Sioned. 'O'n i'n meddwl bo' chdi wedi dod dros Tom. Pam wyt ti'n mynd i'r fath ymdrech i drio ei wneud o'n jelys?'

'Dwi ddim!'

Dwi dal heb ddweud wrth Sioned 'mod i'n gobeithio bod dyfodol i fi a Tom. Dwi dal heb ddweud wrthi ei fod o'n fflyrtio efo fi yn y swyddfa, ac yn gyrru tecsts.

'Ond ella,' medda fi, 'bod Tom a'i *ex* o ar fin gorffen. Felly, ella bod o isio fi'n ôl.'

Mae wyneb Sioned yn troi'n flin. Mae hi'n rhoi ei gwydr gwin ar y bwrdd coffi ac yn edrych i fyw fy llygaid.

'Na. No we, Cadi. Mae Tom wedi dy drin di fel ci bach ufudd ers y dechrau un. Paid ti â meiddio rhoi ail gyfle iddo fo. Dydy o ddim yn dy haeddu di, ti'n clywed? Sbia be mae o wedi'i wneud i dy berthynas di efo un o dy ffrindiau gorau di. Mae o wedi troi Rhys yn dy erbyn di. Ma'r boi yn beryg, a ti'n haeddu gwell. Mae o jyst yn fflyrtio i dy gadw di o gwmpas, fel olwyn sbâr, rhag ofn iddo fo gael pyncjar. Paid â rhoi eiliad o dy amser iddo fo nos Sadwrn, plis, Cadi. Ti'n gwybod 'mod i'n iawn.'

Mae ei geiriau'n gwneud i mi feddwl. Dwi wastad wedi credu 'mod i a Tom yn berffaith i'n gilydd. Ond ydy Sioned yn iawn? Ydy o wedi fy nhrin i fel ci bach ufudd? Dwi ddim yn siŵr.

'Ocê,' medda fi gan afael yn llaw Sioned. 'Ocê, ti'n iawn. Ond mae fy nghynllun i am roi Tom yn ei le, wyt ti'n gweld? Am unwaith ac am byth, mi fydd o'n gwybod bod dim siawns iddo fo. Achos mi fydda i efo Jacob nos Sadwrn, ac mi fydd Tom yn gandryll. Ti'n gweld, Sions?'

Mae Sioned yn anadlu'n ddwfn, ac yna'n nodio. O'r diwedd, mae hi'n deall y cynllun.

'Wnei di helpu fi?' medda fi.

'Wrth gwrs,' meddai Sioned, gan arllwys mwy o win i'n gwydrau.

Jacob

Mae'r wystrys wedi eu coginio yn berffaith. Mi yrrais at yr arfordir y bore 'ma er mwyn eu prynu'n ffres. Dydyn nhw ddim cystal â rhai Ffrainc, ond maen nhw'n edrych yn flasus. Mae Mam wrth ei bodd efo wystrys ffres a dwi wedi coginio'r rhain yn arbennig iddi hi. Mae hi wedi bod yn fy holi'n dwll am Cadi drwy'r wythnos, a finnau'n gorfod dweud celwydd wrthi bob tro. Felly dyma fy ffordd fach gyfrinachol i o ymddiheuro iddi am yr holl gelwyddau.

'Ydyn nhw'n neis?' gofynnaf wrth iddi lowcio'r un gyntaf.

'Hyfryd,' meddai hi. 'Maen nhw'n fy atgoffa o La Rochelle.'

'Pam na ddoi di draw i Ffrainc,' gofynnaf iddi, 'i weld lle dwi'n gweithio, lle dwi'n byw? Gawn ni lond ein boliau o wystrys ffres.'

Mae hi'n gosod ei fforc ar y bwrdd ac yn edrych i fyw fy llygaid.

'Fedra i ddim, Jacob. Fedra i ddim dod yn ôl i Ffrainc, ti'n gwybod hynny. Mae'r lle'n llawn o hen atgofion, a fedra i ddim eu hwynebu nhw.'

'Ond...'

'Na, Jacob,' meddai'n gadarn.

A dyna ddiwedd ar hynny.

2 DDIWRNOD TAN Y BRIODAS

Cadi

Mae'r wythnos yn gwibio heibio mewn ychydig bach o niwl. Ac yna, yn ddirybudd, mae'n ddydd Iau, a dwi bron â gorffen fy niwrnod gwaith. Safaf yng nghegin y swyddfa yn golchi fy nghwpan coffi, a phwy sy'n dod i mewn ond Tom.

Ydy, mae Tom yn dal i weithio yn yr un lle â fi. Ac ydw, dwi'n ei weld o bron bob dydd. Mae o'n gyfreithiwr hefyd – dyna sut wnaethon ni gyfarfod, ti'n cofio? Ac oedd, roedd o'n syniad gwirion i fynd allan efo rhywun o'r swyddfa, dwi'n gwybod hynny rŵan.

Safaf yn stond wrth y sinc, ac mae Tom yn pwyso dros fy ysgwydd i estyn am y pot coffi. Mae ei fraich yn brwsio yn erbyn fy un i am eiliad. Wnaeth o fy nghyffwrdd i'n fwriadol?

'Gweithio'n hwyr?' gofynnaf yn ddiniwed.

'Ydw, beryg,' meddai. 'Dwi'n trio gorffen popeth cyn fory. Mae gen i ddyletswyddau *best man*, cofia.'

Wrth gwrs! Wrth gwrs mai Tom oedd y gwas priodas. A bydd rhaid i mi wrando ar hanner awr o'i jôcs gwael o dydd Sadwrn, heb unrhyw ffordd o ddianc. Pwysa Tom ei gefn yn erbyn y cwpwrdd cegin ac edrych arna i'n golchi llestri.

'Ti wastad wedi ffansïo dyn mewn siwt, yn do?' mae'n hanner sibrwd yn fy nghlust.

'Am be ti'n sôn?' gofynnaf, gan wrthod troi fy mhen. Dwi'n teimlo fy mochau yn cochi, a dwi DDIM eisiau iddo weld yr effaith mae'n ei gael arna i. Mae geiriau Sioned yn atsain yn fy mhen. Dwi ddim am fod yn gi bach ufudd i Tom. Dwi ddim am adael iddo godi fy ngobeithion.

'Ti'n mynd i wirioni arna i dydd Sadwrn.'

'Paid â malu, Tom,' medda fi.

'Dwi'n edrych ymlaen at gael treulio amser efo chdi eto,' meddai. 'Tu allan i'r swyddfa.'

Dwi'n troi i'w wynebu. Mae ganddo wên ddireidus ac mae fy stumog i'n gwneud campau y tu mewn i mi.

'Ond fyddwn ni ddim yn treulio amser efo'n gilydd, Tom,' medda fi yn bendant. 'Achos ti'n dod â dy gariad i'r briodas.'

Mae ei wên yn diflannu'n araf, a'i lygaid

yn crychu. Mae'n edrych ar y llawr am eiliad gan anadlu'n ddwfn. Yna mae'n ateb, mewn llais tawelach.

'Dydy Sarah ddim yn dod dydd Sadwrn. Yli, dwi heb ddweud hyn wrth unrhyw un eto, ond dwi ddim yn siŵr pa mor hir fydda i a Sarah yn para. Dwi wedi drysu, Cadi. Dwi ddim yn gwybod os mai hi ydy'r un iawn i fi.'

Yna mae'n edrych i fyny, reit i fyw fy llygaid, a dwi'n teimlo fy stumog yn toddi. Anghofiaf eiriau Sioned am eiliad. Dwi'n methu helpu fy hun, dwi'n rhoi fy llaw ar ei fraich ac yn dweud pa mor sori ydw i. Ond dwi ddim yn siŵr os ydw i'n sori. Mae clywed nad ydy Sarah yn dod i'r briodas yn gwneud i mi deimlo'n... od. Mae Tom yn gwenu gwên drist arna i.

'Diolch, Cads. Mae mor hawdd siarad efo chdi. Ti wastad wedi bod yn ffrind mor dda i mi. Yn fwy na ffrind. Dwi mor lwcus o dy gael di.'

Ac yn sydyn, mae'n rhoi ei law am fy nghanol ac yn fy nhynnu ato, gan fy ngwasgu yn erbyn ei gorff. Teimlaf ei wyneb yn agosáu at fy mhen a'i glywed yn arogli fy ngwallt. Yna, yn sydyn eto, mae'n gollwng fy nghanol, yn dweud ta-ta ac yn diflannu o'r gegin.

Be sy'n mynd ymlaen?

Jacob

Mae hi'n noson gynnes, a dwi'n pacio bag bychan yn barod ar gyfer y dêt, a'i roi ar sêt gefn y car. Mae hi wedi bod yn wythnos dawel, felly dwi'n edrych ymlaen at weld Cadi. Ar ôl bron i wythnos yn nhŷ Mam, dwi'n barod am sgwrs gyda rhywun sy'n agosach at fy oed i.

Pan dwi'n cyrraedd ei thŷ, canaf y corn ac mae Cadi yn ymddangos yn y ffenest. Mae hi'n noson olau heno, o'r diwedd. Mae Cadi'n cerdded at y car. Mae hi'n gwisgo pâr o jîns du, *polo neck* ysgafn, a chardigan fawr binc wedi ei gweu. Mae ei gwallt hi'n gwlwm blêr ar dop ei phen. Dyma mae hi'n dewis ei wisgo ar gyfer ein dêt ni? Dwi'n gallu gweld yn glir nad oes ganddi fawr o brofiad. Neu fawr o ddiddordeb yndda i.

'Haia,' meddai hi wrth eistedd yn y sêt ffrynt. 'Ti'n iawn?'

'Yndw,' atebaf. 'Wyt ti?'

'Yndw, diolch. Wyt ti?'

Taniaf yr injan yn hytrach na'i hateb. Dechrau grêt i'r noson.

'Sori,' meddai. 'Ti 'di ateb unwaith. Sori.' Mae hi'n anadlu'n ddwfn. 'Dwi'n nerfus.'

'Jyst ymlacia,' medda fi. Mae'r gwahaniaeth rhwng y ferch nerfus yma a'r ferch lawn hyder yn y ffrog goch yn anhygoel.

'Sori,' meddai eto. 'Dwi heb fod ar ddêt ers amser hir. Ddim ers...'

Dydy hi ddim eisiau gorffen y frawddeg, ond dwi'n gwybod ei bod hi'n meddwl am Tom. Druan ohoni hi, mae hi angen help i ddod dros y lembo.

Mae'r ddau ohonon ni'n dawel am eiliad, gyda dim ond y car yn canu grwndi.

'Dwi'n siŵr dy fod ti'n mynd ar ddêts o hyd. Dwi'n siŵr bod merched yn taflu eu hunain atat ti.'

Falle na ddylwn i ateb ei chwestiwn. Falle nad ydy hi eisiau gwybod go iawn. Ond dwi'n esbonio wrthi'n ofalus nad ydw i'n mynd ar ddêts yn aml chwaith. A dweud y gwir, esboniaf wrthi, dwi heb fod ar ddêt ers blynyddoedd. Felly does dim angen iddi fod yn nerfus. Y gwir ydy ein bod ni'n eithaf tebyg, er ein bod ni mor wahanol. Ac mae Cadi'n ymlacio ychydig ar ôl i mi gyfaddef hynny.

Yna, ymhen dim, rydyn ni'n cyrraedd a dwi'n parcio'r car. Dwi heb fod yma ers blynyddoedd ond dwi'n cofio pa mor dlws ydy hi yma. Jyst gobeithio bod fy nghof yn gywir. Dwi'n cydio yn y bag ac yn agor y drws i Cadi. Cymeraf ei braich a'i harwain drwy'r coed nes cyrraedd pen y llwybr, lle mae'r coed yn gorffen yn annisgwyl. Yma mae darn bach o dir fflat sy'n edrych dros y cwm cyfan. Rydyn ni'n eithaf uchel, ar ben un o'r bryniau sy'n edrych i lawr ar y dref. Dwi'n gallu gweld goleuadau stryd yn dechrau fflachio ymlaen wrth iddi dywyllu.

'Waw!' meddai Cadi. 'Dwi heb fod yma ers oes. Am olygfa.'

Dwi'n tynnu blanced o'r bag ac yn ei osod yn ofalus ar y llawr. Dwi'n teimlo fel taswn i mewn *rom-com*. Ydy, mae Rhys yn iawn. Mae picnic dan y sêr yn *cliché*, ond mae o'n *cliché* am reswm da.

Cadi

Mae'r swigod yn mynd i 'mhen i. Dim ond potel fach o Prosecco oedd yn y bag picnic – un i fi, a sudd afal iddo fo. Mae fy mhen i'n teimlo fel un swigen fawr, ysgafn.

Fedra i ddim coelio'r fath ymdrech. Mae o wedi pacio bag gyda blanced, bara, caws, mefus, a llwyth o ddanteithion blasus. Does 'na ddim sêr uwch ein pennau, ond mae Jacob yn dweud wrtha i am gyfri'r holl oleuadau stryd a chogio bach mai sêr ydyn nhw. Pwy ydy'r dyn yma? Mae o'n wahanol iawn i'r Jacob dwi wedi ei gyfarfod cyn hyn.

Dwi eisiau gwybod mwy amdano ac mae'r Prosecco wedi rhoi chydig o hyder i mi, felly dwi'n dechrau ei holi am ei hanes, ei gefndir. Mae o'n dawel i ddechrau ond yna mae'n dechrau agor ei galon. Mae o'n dweud wrtha i am ei fywyd yn Ffrainc.

'Ffrainc?' gofynnaf, gan dorri ar ei draws. Wnes i anghofio ei fod o'n byw yn Ffrainc! Mae hynny'n ei wneud o'n fwy diddorol yn syth. Efallai nad ydy Jacob mor ddiflas wedi'r cwbl.

'Ia, Ffrainc,' mae o'n ateb. 'Dwi'n byw yno ers rhai blynyddoedd bellach. Mewn pentref bach y tu allan i Rochefort. Fi sy'n rhedeg y garej yno.'

'Garej?'

Mae Jacob yn nodio. 'Roedd Dad yn Ffrancwr, yn rhedeg garej draw yng ngorllewin Ffrainc. Ond nath o gyfarfod Mam yn La Rochelle un haf a symudodd i Gymru efo hi. Priododd y ddau, ac yna dyma fi'n cyrraedd. Fuodd o'n gweithio mewn garej yn dre am flynyddoedd. Dwi'n cofio mynd yno'n blentyn, yr ogla petrol ar Dad, yr olew yn ei wallt ac ar hyd ei oferôls. Ro'n i'n arfer ei helpu efo'r offer, yn pasio sbaneri a morthwylion trwm iddo.'

Mae o'n siarad am ei dad fel petai'r holl beth yn perthyn i'r gorffennol.

'Be ddigwyddodd?'

'Aeth o'n ôl i Ffrainc pan o'n i tua deuddeg. Cafodd o ddigon o fyw yng Nghymru, digon ohona i a Mam. Roedd Mam yn erfyn arno fo i ddod 'nôl adre, ond roedd o'n benderfynol. Doedd o ddim eisiau dod 'nôl. Pan o'n i'n ddeunaw oed, es i draw i Rochefort i chwilio amdano. Wnes i ffeindio'r garej, ond doedd Dad ddim yno, dim ond un o'i weithwyr, Léo. Fo ddywedodd wrtha i fod Dad wedi cael strôc, a'i fod mewn cartref gofal. Dim ond ifanc oedd o. Es i draw i'w weld o'n syth, ond doedd o ddim yn fy nabod i. Doedd o ddim yn nabod unrhyw un. Arhosais i yn ei dŷ o, a mynd draw i'w weld o bob dydd ond doedd o ddim yn gwella. Ac roedd o'n sicr yn methu siarad efo fi nac esbonio pam y gadawodd o Mam a finna flynyddoedd yn ôl. Yna, bythefnos ar ôl i mi gyrraedd, mi gafodd o strôc arall. A dyna ni, dyna ddiwedd ar Dad.'

'O, Jacob,' medda fi, ond wn i ddim beth i'w ddweud yn iawn. Mae hyn i gyd mor annisgwyl.

'Mae'n iawn,' meddai Jacob. 'Mae'r holl beth yn hen hanes erbyn hyn. Ond fi gafodd y garej yn yr ewyllys, felly symudais fy mywyd draw i'r pentref. Doedd Mam ddim yn hapus ond roedd o'n rhywbeth roedd rhaid i mi ei wneud. Nath Léo aros efo fi am rai blynyddoedd i fy nysgu i, tan iddo fo ymddeol, a rŵan fi ydy'r prif fecanydd yn y pentref. Mae'n job iawn.'

Mae Jacob yn distewi eto am rai eiliadau. Dwi'n trio meddwl beth i'w ddweud, ond yna mae'n dechrau siarad eto.

'Dyna pam dwi'n gwrthod setlo, ti'n gweld? Nath Dad dorri calon Mam a finna pan adawodd o, a dwi byth eisiau gwneud hynny i unrhyw un. A dyna pam wnes i adael Cymru. Mae Cymru'n llawn o hen atgofion o Dad, a fedra i ddim byw yma heb feddwl amdano. Dydy Mam ddim yn deall, achos mae hi'n casáu'r syniad o fynd i Ffrainc. Iddi hi, dyna lle mae'r hen atgofion drwg, a ddaw hi ddim yno. Ddim hyd yn oed i fy ngweld i. Weithiau dwi'n teimlo fel rhyw ysbryd sy'n trio llenwi'r twll mae Dad wedi ei adael tu mewn i mi. Fel taswn i'n dilyn ôl ei draed. Does gen i ddim bywyd fy hun, dwi wedi llithro i mewn i fywyd Dad, heb drio. Ac mae o'n brifo. Dwi byth eisiau i rywun fy ngharu i gymaint fel ei fod o'n brifo.'

Dwi'n amlwg wedi barnu Jacob yn rhy gyflym. Dydy o ddim mor arwynebol ag y mae o'n edrych. Dwi'n pwyso tuag ato er mwyn rhoi fy llaw ar ei law yntau, i'w gysuro. Ond rhywsut, mae fy wyneb yn agosáu at ei un o. Ac yng ngolau oren y lampau stryd dwi a Jacob yn cusanu.

Jacob

Wps.

Rydyn ni wedi torri'r cytundeb yn barod, a dydy hi ddim yn ddydd Sadwrn eto. Mae Cadi'n blasu fel Prosecco a mefus, a dwi'n mwynhau ei chusanu. Hi sydd wedi bod yn erbyn y syniad o gusanu. Dwi'n fwy na hapus i gario 'mlaen ond mae Cadi'n tynnu yn ei hôl ar ôl rhai eiliadau. Er bod y noson yn dywyll dwi'n gallu gweld bod ei bochau'n goch. Mae hi'n cuddio ei hwyneb y tu ôl i'w dwylo, yna'n codi ar ei thraed ac yn cerdded i ffwrdd.

Brysiaf i bacio popeth yn y bag a rhedeg ar ei hôl. Mae hi'n rhy dywyll iddi gerdded ar ei phen ei hun, yn y lle unig yma.

'Cadi!' gwaeddaf ar ei hôl. Dwi'n difaru bod mor onest rŵan. Ro'n i'n gwybod yn iawn y byddai'r stori honno'n meddalu ei chalon, yn gwneud iddi gynhesu tuag ata i. Ro'n i wedi defnyddio'r stori ganwaith o'r blaen i gael fy ffordd fy hun. Mae merched yn hoffi dynion sy'n emosiynol weithiau. Ac er bod pob gair o'r stori yn wir, ro'n i'n ei defnyddio bob hyn a hyn er mwyn rhoi'r argraff 'mod i'n berson rhamantus, neu gariadus. Ond dim ond ffordd o ennill oedd hynny, dwi'n addo! Ar ôl cael fy ffordd fy hun, mi faswn i'n mynd yn ôl i fy hen ffordd o fyw. Dim emosiwn, dim rhamant.

Dwi'n dal i fyny efo Cadi o'r diwedd ac yn gafael yn ei braich. Mae hi wedi cynhyrfu'n lân.

'Hei, mae'n iawn,' dywedaf wrthi. 'Stopia redeg i ffwrdd.'

'Doedd hynna ddim i fod i ddigwydd,' meddai. 'Dyna pam mae ganddon ni gytundeb, fel bod pethau ddim yn mynd yn rhy gymhleth.'

'Mae'n iawn,' dwi'n dweud eto. 'Ti'm yn gorfod poeni am bethau'n mynd yn rhy gymhleth, Cadi. Dwi ddim eisiau cymhleth.'

''Dan ni ond yn gwneud hyn i wneud Tom yn genfigennus. Ac i dawelu meddwl dy fam. 'Dan ni ddim i fod i gusanu.'

'Dydy o ddim yn *big deal*, Cadi.'

Dwi'n trio gwenu arni ond mae hi'n edrych arna i'n flin.

'Ond mae o'n *big deal* i fi. Dwi ddim yn cusanu pob boi dwi'n cyfarfod mewn stafell newid, sti. Sori os ydw i'n un ferch arall mewn rhestr hir i ti, ond dwi ddim fel chdi. Mae cusan yn golygu rhywbeth i fi.'

Dwi wedi dweud y peth anghywir, dwi'n gwybod hynny. Felly dwi'n ei thynnu tuag ata i ac yn ei gwasgu hi'n dynn, fel ffrind. Dwi'n rhwbio ei phen a'i hysgwyddau fel babi bach, yn ceisio ei thawelu. Teimlaf ei chorff yn ymlacio wrth iddi bwyso ei thalcen arna i, a dwi'n ei harwain hi'n ara deg tuag at y car, ac adre.

Cadi

Y munud mae Jacob yn fy ngollwng i o flaen y tŷ, dwi'n dweud nos da ac yn hanner rhedeg o'r car. Dwi ddim eisiau iddo fo feddwl ei fod o'n cael dod i mewn.

Be dwi'n neud? Sut 'mod i wedi llwyddo i ddrysu fy hun yn barod? Roedd y cynllun i fod yn un syml, ond dyma fi'n gwneud llanast o bopeth.

Dwi'n meddwl am ffonio Sioned, ond dwi eisiau mynd i fy ngwely. Dwi eisiau cysgu, fel bod y diwrnod yma ar ben.

Dwi'n gorwedd yn y tywyllwch yn meddwl am eiriau Tom yn y gegin. Am flas melys Jacob.

Dos i gysgu, Cadi.
Dos
i
gysgu.

1 DIWRNOD TAN Y BRIODAS

Jacob

Gobeithio bod Cadi'n teimlo'n well. Prin wnes i gysgu winc neithiwr. Dwi ddim eisiau iddi fod yn poeni am ein cynllun drwy'r dydd.

Dwi'n gyrru tecst cyflym iddi gael gwybod fod popeth yn iawn. Ac yna dwi'n chwilota drwy fy nghês am dei coch, yr un lliw â ffrog Cadi. Ond does gen i ddim tei yn y lliw cywir. Yn ôl â fi i'r siop. Mae'n rhaid i mi brynu'r tei perffaith at fory.

Cadi

Bore Gwener, dwi'n codi ac yn gwneud fy hun yn barod i'r gwaith. O leiaf dwi'n gwybod na fydd Tom yno heddiw. Edrychaf ar fy ffôn, ac mae neges gan Jacob.

Dwi'n addo bihafio yn y briodas. Nawn ni sticio at y cytundeb. DIM CUSANU. Ocê?

Dwi'n tecstio'n ôl.

Ocê

Mae o'n addo dod i 'nghodi i fory am ddeg. A dwi'n treulio gweddill y diwrnod â 'mhen yn y cymylau.

DIWRNOD Y BRIODAS

Jacob

Dyma ni, y diwrnod mawr!

Er 'mod i'n casáu priodasau, dwi'n edrych ymlaen at weld Rhys yn ei siwt. Ac er 'mod i ddim eisiau cyfaddef, dwi'n edrych ymlaen at dreulio amser efo Cadi hefyd. Ro'n i wedi mwynhau ein picnic ar y bryn. Tan i Cadi adael. Dwi wedi mwynhau cael cyfrinach rhyngddon ni. A gan nad oes unrhyw beryg o ddatblygu perthynas gyda Cadi, dwi'n teimlo fel taswn i'n gallu bod yn fi fy hun. Does dim angen i mi boeni sut dwi'n edrych, na beth mae'r ferch yn ei feddwl ohona i. Achos dwi'n gwybod nad ydy hi eisiau unrhyw beth mwy na'r berthynas ffug yma.

Mae Mam yn gadael y tŷ yn gynnar, i roi help llaw i deulu Rhys gyda'r paratoadau munud olaf. Mae hi'n fy atgoffa cymaint mae hi'n edrych ymlaen at dreulio amser efo Cadi, ac yna'n diflannu. Dwi'n gobeithio wir y bydd Cadi'n cadw ei hochr hi o'r fargen. Mae hi wedi addo perswadio Mam i beidio fy holi am setlo i lawr eto. Gawn ni weld.

Dwi'n ei chasglu am ddeg ar y dot. Dwi wedi rhoi polish iawn i'r car ddoe er mwyn sicrhau bod 'na sglein arno, i gyrraedd y briodas mewn steil. Dwi'n gwisgo fy siwt orau, gyda thei coch a hances sidan yr un lliw yn y boced. Heb drio swnio'n rhy *cocky*, dwi'n edrych yn reit dda. Canaf y corn, ac mae Cadi'n ymddangos y tu ôl i'r drws.

Mae hi'n edrych yn hollol wahanol i nos Iau. Mae ei gwallt yn gyrls llyfn, sgleiniog, ac mae ei cholur yn gwneud i'w bochau sgleinio yn yr haul. Ac mae'r ffrog... wel, mae'r ffrog yn edrych yn union fel dwi'n ei chofio hi. Mae hi'n gwasgu pob cornel o'i chorff, ac yn dangos ei siâp ar ei orau. Be fedra i ddweud? Mae hi'n edrych yn ffantastig.

'Ti'n mynd i yrru dy *ex* di o'i go',' medda fi pan mae hi'n eistedd wrth fy ochr yn y car. Ac mae'n wir. Fedra i ddychmygu Tom yn hollol gegagored wrth weld Cadi a fi'n cyrraedd y seremoni. Mae hi i weld yn hapus efo hi ei hun. Er ei bod hi'n nerfus, mae hi'n gwybod ei bod hi'n edrych yn dda.

Does dim rhaid i fi aros yn hir i weld

ymateb Tom. Dwi'n parcio'r car y tu allan
i'r gwesty, ac yn agor y drws i helpu Cadi
allan o'i sêt. I mewn â ni i'r cyntedd, tua
hanner awr cyn y seremoni. Mae'r gwesteion
wrthi'n eistedd ar gyfer y gwasanaeth, felly
dilynaf y rhes o bobl, fraich ym mraich
efo Cadi. Gallaf weld Rhys ym mhen arall
y stafell, yn edrych fel petai o ar binnau.
Wrth ei ochr mae Tom. Mae ei gefn aton
ni ar hyn o bryd wrth iddo siarad â Rhys.
Mae Cadi'n pwyntio at un o'i ffrindiau yn y
bedwaredd res, ac rydyn ni'n cerdded i lawr
y canol tuag atyn nhw. Mae Rhys yn gwenu
arna i, a gwelaf Tom yn troi. Mae'n edrych
arna i, yn hanner gwenu, ac yna'n gweld
Cadi.

Mae ei wyneb yn tywyllu, fel storm. Mae
o'n edrych yn gandryll.

Cadi

'O mai god, Cads!' meddai Sioned wrth i ni
eistedd wrth ei hochr hi. 'Ti'n edrych yn
anhygoel.'

'Diolch,' medda fi, a chyflwynaf Jacob i
Sioned a Iolo, ei dyweddi.

'A mae o'n *gorjys*,' sibryda Sioned yn fy

nghlust, ychydig yn rhy swnllyd. Mae Jacob yn chwerthin yn dawel wrth fy ochr.

'Ti 'di gweld Tom eto?' gofynnaf i Sioned. Mae hi'n pwyntio tuag ato, yn sefyll wrth ochr Rhys. Dwi'n troi ac mae ein llygaid ni'n cwrdd. Mae o'n wincio arna i. Trof yn ôl at Sioned.

'Ti'n meddwl bod o wedi 'ngweld i yn y ffrog yma?'

'Deffinet,' meddai Sioned. 'Mae o'n methu stopio edrych arnat ti.'

Dwi'n teimlo fy nghorff yn tynhau gan nerfusrwydd. Ac yn rhyfedd, dwi'n teimlo Jacob yn pellhau fymryn oddi wrtha i. Neu efallai mai fi sy'n dychmygu pethau.

'Ond bydd yn ofalus,' meddai Sioned, a dwi'n nodio, heb ddweud gair.

Mae'r seremoni yn hyfryd. Mae Rhys a Lisa yn edrych yn berffaith gyda'i gilydd. Mae'r ddau'n gwenu gymaint nes fod pawb yn credu mai nhw yw'r ddau berson hapusaf yn y byd. Dwi, Jacob, Sioned a Iolo yn gweithio'n ffordd yn araf drwy'r dorf i'r stafell fwyta. Mae addurniadau gwyrdd ac arian yn hongian oddi ar y waliau a'r nenfwd, fel dail y coed. Ni yw un o'r criwiau cyntaf i gyrraedd, a dwi'n edrych yn eiddgar ar y cynllun eistedd.

'O diar,' meddai Sioned. 'Mae Jacob yn eistedd ar fwrdd saith, a 'dan ni'n tri ar fwrdd rhif pump. Mae'n rhaid i chi eistedd efo'ch gilydd, neu bydd y gêm ar ben!'

'Be ti'n feddwl, Jacob?' gofynnaf iddo.

'Wel, fydd Rhys ddim yn hapus 'mod i'n newid y *seating plan*, ond dyna ni.'

Mae o'n tynnu enw rhyw ddieithryn, Mark Anderson, o fwrdd rhif pump. Heb i neb weld, mae'n ei newid am ei enw ei hun.

'Dim problem,' meddai, ac mae'r pedwar ohonon ni'n mynd i chwilio am rywbeth i'w yfed.

Am hwyl! Dwi wrth fy modd efo priodasau – y blodau, y chwerthin, y jôcs gwael sy'n dal yn ddigri. Mae'n criw bach ni'n cael clamp o hwyl yn bwyta *canapés*, yfed a chynnig llwncdestun i'r cwpwl hapus. Cyn y brecwast priodas a'r areithiau, dwi'n mynd i chwilio am fam Jacob. Chwarae teg, mae o wedi gwisgo tei coch, sef y pwynt cyntaf yn y cytundeb. Felly fy nhro i yw hi nawr i gael sgwrs gyda'i fam.

Mae hi'n fy ngweld i o ochr arall y stafell, ac mae hi'n dechrau chwifio'i llaw arna i.

'Tyrd yma, Cadi, tyrd i eistedd efo fi.'

Dwi'n closio ati, ac mae hi'n arllwys dau wydraid o win cyn dechrau fy holi'n dwll am Jacob. Mae hi'n esbonio ei bod hi wedi bod yn poeni na fyddai o byth yn setlo, ac mor falch ydy hi fod ganddo gariad. Dwi'n gwenu arni ac yn dweud mor falch ydw i o'i chyfarfod hi o'r diwedd. Ac yna, dwi'n dechrau ar fy nghynllun.

'Dwi'n gobeithio y byddwn ni'n cael dathlu fel hyn rhyw ddiwrnod,' medda fi gan edrych o amgylch y stafell. 'Dwi wrth fy modd efo priodasau, cofiwch. A fedra i ddim aros nes 'mod i a Jacob yn cael priodas ein hunain. Ond wyddoch chi be? Dwi'n meddwl bod Jacob eisiau rhoi syrpréis i fi. Ond bob tro mae rhywun yn ei holi ydy o am briodi, mae o'n meddwl bod y syrpréis wedi ei sbwylio. Felly mae o'n aros nes fydd neb yn sôn am setlo, cyn rhoi'r syrpréis mwyaf i fi.'

'O diar,' meddai mam Jacob. 'Dwi'n meddwl 'mod i'n euog o'i holi ambell waith.'

Dwi'n chwerthin yn annwyl ac yn rhoi coflaid fawr iddi.

'Peidiwch â phoeni,' medda fi. 'Ond o heddiw ymlaen, wnewch chi plis beidio sôn am briodi? Ac ella wedyn, o'r diwedd, mi wneith o bopio'r cwestiwn!'

Mae mam Jacob yn chwerthin hefyd, ac yn tynnu ei bys dros ei cheg fel petai hi'n ei chloi gydag allwedd fach.

'Ddweda i ddim gair, Cadi fach,' meddai, ac mae'r ddwy ohonon ni'n taro ein gwydrau gwin yn erbyn ei gilydd. Iechyd da.

Jacob

Dwi'n gallu gweld Cadi a Mam yn siarad ben arall y stafell ac mae'r ddwy'n chwerthin yn braf. Gobeithio na fydd Mam byth yn fy holi am briodi eto o heddiw ymlaen.

'Ti'n mwynhau?' hola Sioned, gan dorri ar draws fy meddyliau.

'Dwi ddim yn un am briodasau,' medda fi. 'Ond mae hon yn ocê.'

'Chwarae teg i ti am helpu Cadi efo Tom. Mae hi angen help i ddod drosto fo.'

Dwi'n nodio. Dwi wedi dal Tom yn edrych ar Cadi bob hyn a hyn yn ystod y dydd. Mi welais i o'n wincio arni hi cyn y seremoni, ond dydy Cadi ddim yn talu llawer o sylw. Efallai fod ein cynllun ni'n gweithio wedi'r cyfan, ac efallai y bydd hi'n gallu symud ymlaen ar ôl heddiw. At rywun fydd yn ei thrin hi'n well.

'Jyst bydd yn ofalus efo hi, ocê?' meddai Sioned wrtha i'n gadarn. 'Mae hi'n fwy sensitif na ti'n feddwl, a dwi'm isio i ti dorri ei chalon hi.'

Dwi'n edrych draw at Cadi eto, ac yn sylwi ei bod hithau'n edrych draw ata i. Mae'r ddau ohonon ni'n gwenu yr un pryd.

'Wna i ddim torri ei chalon hi,' dywedaf wrth Sioned. 'Gaddo.'

Mae hi'n edrych arna i'n amheus ond yna mae hithau'n gwenu hefyd, fel petai hi'n gwybod rhyw gyfrinach.

Cyn yr areithiau mae Cadi'n dod yn ôl i eistedd wrth y bwrdd. Mae'r dorf yn distewi wrth i Tom daro llwy yn erbyn ei wydr.

'Wna i ddim eich cadw chi'n hir, dwi'n siŵr fod pawb yn barod am eu cinio,' meddai Tom gan ddechrau ei araith. Mae'n sôn am ei lwc yn cyfarfod Rhys drwy ei gyn-gariad, ac fe wela i fochau Cadi'n troi'n binc. Mae'n rhestru jôc wael ar ôl jôc wael, ambell i stori am Rhys yn meddwi, ac yna mae'n codi ei wydr.

'Mae'n wir,' meddai Tom, 'fod pobl ddim yn sylwi be sydd ganddyn nhw nes ei bod hi'n rhy hwyr. Ond mae Rhys yn gwybod yn union be sydd ganddo fo yn Lisa – rhywun sy'n hawdd siarad efo hi, sydd wastad yno iddo fo. Ei ffrind gorau, a mwy na ffrind.'

Mae Tom yn syllu yn syth at Cadi wrth adrodd ei eiriau olaf.

'Mae Rhys mor lwcus o gael Lisa. Maen nhw'n berffaith efo'i gilydd, a dwi'n gobeithio y caf i brofi cariad fel hyn rhyw ddydd. Felly codwch eich gwydrau i'r cwpwl hapus. Rhys a Lisa.'

Trof at Cadi ac mae ei bochau pinc hi wedi troi'n fflamgoch. Mae hi'n dawel drwy weddill yr areithiau, yn sipio ei gwin yn araf. Pan mae'r bwyd yn cyrraedd mae hi'n pigo ambell i damaid oddi ar y plât. Pan mae'r pwdin yn dod, dwi'n ei hatgoffa am y pedwerydd pwynt yn y cytundeb. Mae hi i fod i roi ei phwdin i mi. Ond mae ei hwyneb mor drist pan dwi'n cymryd y pwdin, mae'n rhaid i mi chwerthin arni.

'Ocê, ocê,' medda fi. 'Wna i ddim cymryd y pwdin. Dwi ddim mor greulon â hynna.'

Mae hi'n gwenu arna i ac yn dweud, 'Be am i ni rannu'r ddau?' Ac er ein bod ni'n dau efo'r un pwdin, rydyn ni'n bwyta oddi ar ddau blât.

Mae'r goleuadau'n diffodd, mae'r platiau'n cael eu clirio ac mae hi'n amser dawnsio. Dwi'n casáu partïon priodas – mae'r gerddoriaeth o hyd yn rhy *cheesy*. Ond dwi wedi addo pedair cân i Cadi. Mae hi wrth ei bodd, ac mae hi'n gallu symud yn reit dda. Mae'r pedair cân gyntaf yn rhai cyflym ac rydyn ni'n dawnsio'n wyllt ac yn wirion. Dwi'n chwerthin wrth wylio Cadi yn cicio a chwifio bob yn ail, gan siglo ei phen-ôl gyda gwên. Mae Sioned a Iolo yn ymuno yn yr hwyl ac mae hyd yn oed Mam yn dawnsio. Efallai nad ydy partïon priodas mor ddrwg â hynny, gyda'r cwmni iawn.

Dwi ar fin eistedd cyn y bumed gân ond dwi'n nabod y miwsig. Cân araf, cân serch. Dwi bron yn siŵr mai 'O Gwennan' gan Yws Gwynedd ydy hi. A dwi'n sylweddoli 'mod i ddim eisiau stopio dawnsio efo Cadi. Dwi'n rhoi fy mreichiau am ei chanol ac yn ei thynnu tuag ata i.

'Ti 'di dawnsio am bedair cân,' sibryda Cadi yn fy nghlust. 'Gei di eistedd rŵan.'

'Dwi ddim isio eistedd,' medda fi.

Mae hi'n rhoi ei breichiau o fy amgylch ac yn pwyso ei phen arna i. Rydyn ni'n dawnsio am oes, ond mae'n teimlo fel eiliad.

Cadi

Dwi a Jacob wedi bod yn dawnsio ers tua awr a dwi'n teimlo'n sychedig. Dwi'n cynnig nôl diod i bawb o'r bar a dwi'n gadael Sioned, Iolo a Jacob yn dawnsio fel pethau gwirion.

'Dau jin a tonic, a dau beint, plis,' medda fi wrth y boi y tu ôl i'r bar. Wrth iddo dollti'r diodydd, dwi'n clywed llais y tu ôl i fi.

'Fedra i brynu diod i ti?'

Tom sydd yno. Mae o'n dod i sefyll reit wrth fy ochr i. Mae o'n arogli'n dda.

'Dim diolch, Tom,' medda fi. Does gen i ddim awydd fflyrtio efo fo heno.

'Ty'd yn dy flaen. Ti'n edrych mor dda, 'nawn ni yfed siot efo'n gilydd?'

Dwi'n cytuno, ac mae o'n gofyn am ddau siot o tequila.

'Iechyd da,' meddai'r ddau ohonon ni, ac rydyn ni'n llowcio'r diodydd mewn un. Mae

75

o'n rhoi ei fraich am fy nghanol ac yn fy nhynnu'n nes ato.

'Ty'd yn agosach ata i,' mae o'n hanner sibrwd. 'Dwi eisiau chdi'n agos, yn y ffrog 'na. Wel, a dweud y gwir, dwi eisiau i chdi fod *allan* o'r ffrog 'na.'

'Tom, stopia,' medda fi gan edrych dros fy ysgwydd. Ond fedra i ddim helpu fy hun, dwi'n licio'r ffaith fod Tom yn fy ffansïo i. Diolch byth fod Jacob wedi fy mherswadio i brynu'r ffrog.

'Am be ti'n boeni? Am dy gariad? Be ydy ei enw fo 'fyd, Jason?'

'Jacob.'

'Jacob, ia. Mae o braidd yn ddiflas, dydy? Dim llawer i'w ddweud. A be ydy o, dim ond mecanic? Fedra i'm dy weld di'n mynd allan efo mecanic rywsut, Cads. Ti i fod efo rhywun fel fi.'

'Chdi nath ddympio fi, Tom.'

'Ia, a dwi'n difaru, dydw? Wnest ti glywed fy *speech* i? Do'n i ddim yn gwybod pa mor anhygoel oeddat ti, nes i fi adael i ti fynd. A rŵan, chdi dwi isio.'

'Fi?'

'Ia.'

Mae Tom yn fy nhynnu i'n nes ac yn rhoi cusan ysgafn ar fy ngwddf. Mae o'n teimlo'n gynnes. Ydy o'n dweud y gwir? Os ydy o wedi gorffen efo Sarah, yna efallai fod 'na gyfle i ni'n dau ddechrau eto. A chael perthynas go iawn. Efallai, y tro yma, byddai pethau'n gweithio.

'Fedra i ddim,' medda fi gan dynnu'n ôl rhywfaint.

'Cadi, chdi dwi isio,' medda fo eto. Mae ei law ar fy mhen-ôl, a dwi'n teimlo ei gorff yn erbyn fy un i. Mor hawdd fyddai dweud 'iawn', a'i gusanu. Mor hawdd fyddai ailgynnau'r fflam. Ond yna mae'n fy ngollwng i'n araf.

'Yli, dwi angen chwilio am Rhys. Ond mae gen i stafell fyny grisiau, os ti ffansi aros efo fi heno. Ti'n gwybod pa mor dda ydan ni efo'n gilydd.'

Mae'n rhoi sws ar fy moch, ac yna'n diflannu. Dwi angen sortio fy mhen allan. Dwi angen Sioned.

Jacob

Dwi'n cael brêc o'r dawnsio tra mae Cadi wrth y bar. Helpaf fy hun i damaid o'r gacen briodas, a gwelaf Mam yn sgwrsio efo Rhys.

'Helô, chi'ch dau,' medda fi. 'A llongyfarchiadau, mêt.'

'Diolch,' meddai Rhys gyda gwên lydan. 'Ti'n mwynhau?'

'Yndw diolch, wrth fy modd.'

'Wyt ti wedi clywed, Rhys,' mae Mam yn torri ar draws, 'fod gan Jacob gariad newydd? Wyt ti'n ei nabod hi tybed? Cadi ydy ei henw hi.'

Dwi'n hanner disgwyl iddi wneud jôc am briodi, neu ofyn i mi pryd fydda i'n popio'r cwestiwn, ond dydy hi ddim. Wel, mae Cadi wedi gwneud job dda iawn o siarad efo hi, yn amlwg.

'Do, dwi wedi clywed,' meddai Rhys gyda gwên. 'Digwydd bod, mae Cadi'n hen ffrind i fi. Yn ffrind da iawn. A dach chi'n edrych fel cwpwl lyfli. Dwi'n meddwl wnewch chi siwtio'ch gilydd.'

'Diolch 'ti, mêt.'

Does gen i ddim calon i ddweud wrtho mai perthynas ffug ydy hi, a fedra i ddim dweud hynny o flaen Mam. Ond dwi'n sylweddoli'n sydyn – dwi ddim eisiau meddwl am y ffaith

nad ydy Cadi'n gariad go iawn i mi. Dwi
wedi mwynhau fy hun yr wythnos yma, a
dwi'n dechrau hoffi'r syniad o dreulio mwy
o amser efo Cadi. Dwi ddim eisiau i hyn
ddod i ben.

Edrychaf o gwmpas y stafell i weld a wela
i'r ffrog goch, ond does dim sôn amdani.
Wela i mo Sioned chwaith. Mae'n rhaid i mi
chwilio amdani. Mae'n rhaid i mi ddweud
wrthi hi sut dwi'n teimlo.

Gofynnaf i Rhys a Mam ydyn nhw wedi
gweld Cadi.

'Do,' meddai Mam. 'Roedd hi wrth y bar
efo'i ffrind, rhyw bum munud yn ôl.'

'Pam?' gofynna Rhys, wrth sylwi 'mod i
wedi cyffroi. 'Ydy bob dim yn ocê?'

'Yndi, grêt,' medda fi. Ac yna heb feddwl,
dwi'n dweud, 'Dwi angen iddi wybod pa
mor hapus mae'n fy ngwneud i.'

Mae Rhys a Mam yn gwenu ar ei gilydd,
ond yn dweud dim. Dwi'n brysio oddi yno
i'w ffeindio hi.

Cadi

'Dwi ddim yn gwybod be i neud, Sions,'
medda fi ar ôl esbonio be oedd newydd

ddigwydd gyda Tom. Roedd Sioned wedi nodio'n dawel drwy gydol y stori, y ddwy ohonon ni'n sipio'n jin a thonic, a dwi angen ei chyngor.

'Ti'n meddwl bod Tom yn dweud y gwir?' gofynna Sioned.

Wn i ddim sut i'w hateb hi. Roedd o'n swnio'n onest, ond mae Tom wedi dweud celwydd wrtha i o'r blaen. Fel arfer, mae Tom yn edrych ar ôl Tom, a neb arall. Ond dwi eisiau ei goelio.

'Dwn i'm,' medda fi o'r diwedd. 'Be ti'n feddwl?'

'Wel, ti'n gwybod sut dwi'n teimlo. Dwi ddim yn trystio'r boi, ar ôl y ffordd mae o wedi dy drin di. Mae o wedi dinistrio dy berthynas di efo Rhys ac mae o eisiau dy gadw di'n agos fel ci bach. Mae o'n dy gadw di fel cariad wrth gefn, rŵan bod pethau ddim yn dda efo Sarah.'

Mae hi'n iawn. Wrth gwrs ei bod hi'n iawn. Ond mae'n anodd clywed y gwir.

'A be am Jacob?' gofynna Sioned wedyn.

'Be am Jacob?'

Mae Sioned yn edrych arna i fel taswn i'n ddwl.

'Mae'r boi yn dy licio di, Cadi,' meddai.
'Mae'n amlwg.'

'Nac ydy, siŵr!' medda fi mewn sioc.
'Dydy Jacob ddim yn licio unrhyw un. Mae
o wedi gwneud hynny'n ddigon clir. Dydy o
ddim eisiau perthynas, Sioned. Dydy o ddim
eisiau fi.'

'Wel, mae o'n bihafio fel tasa fo.'

Meddyliaf yn ôl dros y noson. Dwi wedi
cael mwy o hwyl nag oeddwn i wedi'i
ddisgwyl. Mae Jacob wedi dawnsio gyda fi
drwy'r nos, er nad oedd rhaid iddo. Ond
dwi'n methu coelio geiriau Sioned.

'Dydy o *ddim* eisiau fi, Sioned. Neu os
ydy o, wel, dim ond am ffling. A beth
bynnag, dwi ddim hyd yn oed yn meddwl
ein bod ni'n siwtio'n gilydd. Dydy o mond
yma i fi gael gwneud Tom yn jelys.' Dwi
ddim hyd yn oed yn coelio fy ngeiriau fy
hun erbyn hyn, ond dwi'n dal ati i siarad.
'Dydy o byth yn dweud unrhyw beth. Mae
o'n ddiflas. Mae ganddo fo ormod o feddwl
ohono'i hun. A dim ond mecanic ydy o,'
medda fi gan adleisio geiriau Tom. 'Wyt
ti wir yn gallu 'ngweld i'n mynd allan efo
mecanic? Mae Tom yn dwrnai, fel fi. Ella

dylwn i fod efo rhywun tebycach i fi.'

Be dwi'n ei ddweud? Dydy o ddim yn ddiflas o gwbl, nac efo gormod o feddwl ohono'i hun. A dwi'n licio'r ffaith ei fod o'n gweithio efo'i ddwylo ac wedi dilyn llwybr ei dad. Dwi'n licio'r ffordd mae o'n siarad am geir. A dyna pryd dwi'n sylweddoli mai Jacob dwi eisiau, a dwi'n gobeithio ei fod o eisiau fi.

'Dwi angen mynd i siarad efo Tom,' medda fi.

'Tom?'

'Ia,' medda fi gan anadlu'n ddwfn. 'Dwi angen dweud wrtho fo am beidio siarad efo fi byth eto.'

Ac mae Sioned yn gweiddi'n hapus, ac yn clapio wrth i mi ei gadael hi wrth y bar.

Jacob

Mae Sioned a Cadi wrth y bar, y ddwy â'u cefnau ataf. Maen nhw'n sgwrsio'n brysur a dwi'n agosáu atyn nhw. Ond dwi ddim eisiau torri ar draws, felly dwi'n cadw pellter. Yna dwi'n clywed fy enw.

'A be am Jacob?' mae Sioned yn gofyn.

'Be am Jacob?' meddai Cadi.

Mae'r ddwy yn siarad amdana i. Ond yn amlwg, dydy Cadi ddim yn meddwl 'mod i o ddifri amdani hi. Wel, do'n i ddim yn gwybod 'mod i o ddifri amdani hi chwaith, tan heno. Dwi eisiau dweud wrthi hi, ond mae hi'n dal i siarad.

'Dydy o *ddim* eisiau fi,' meddai Cadi. 'Neu os ydy o, wel, dim ond am ffling. A beth bynnag, dwi ddim hyd yn oed yn meddwl ein bod ni'n siwtio'n gilydd. Dydy o mond yma i fi gael gwneud Tom yn jelys. Dydy o byth yn dweud unrhyw beth. Mae o'n ddiflas. Mae ganddo fo ormod o feddwl ohono'i hun. A dim ond mecanic ydy o. Wyt ti wir yn gallu 'ngweld i'n mynd allan efo mecanic? Mae Tom yn dwrnai, fel fi. Ella dylwn i fod efo rhywun tebycach i fi.'

Ac mae fy nghalon yn suddo wrth glywed ei geiriau nesaf.

'Dwi angen mynd i siarad efo Tom,' meddai hi.

Brysiaf o'r stafell cyn i'r ddwy fy ngweld. Dwi'n teimlo fel lembo go iawn. Dyna lle ro'n i, yn barod i ddweud wrthi 'mod i eisiau perthynas, eisiau rhoi go ar fod yn gariad iddi. Ac mae hi am fynd yn ôl at Tom. Yn amlwg, dydy mecanic ddim yn ddigon da i fod mewn perthynas efo twrnai.

Mae'n rhaid i mi fynd adre. Er 'mod i wedi addo yn y cytundeb y byddwn i'n aros tan ddiwedd y noson, dwi ddim yn meddwl y bydd Cadi'n sylwi. Fel dywedodd hi, dwi ond yma i wneud Tom yn genfigennus. Ac yn amlwg, mae hynny wedi gweithio. Pob lwc i'r ddau ohonyn nhw. Pasiaf Rhys ar fy ffordd allan ac mae o'n chwifio'i law arna i'n llon.

'Jacob! Tyrd am beint!'

'Sori, mêt,' medda fi wrtho. 'Rhaid i fi fynd. Tro nesa?'

Mae o'n nodio. Mae o wedi cael mwy nag un peint, achos mae o'n siglo'n hapus yn ei unfan.

'Wnest ti ffeindio Cadi?'

'Naddo. Ond os ti'n gweld hi, dwed wrthi 'mod i wedi mynd. Yn ôl i fod yn ddim ond mecanic.'

Mae Rhys yn codi ei fawd arna i, a dwi'n gadael.

Cadi

Dyna fo, Tom, wrth y bwrdd bwffe. Mae o'n fy ngweld i'n agosáu ac mae'n wincio arna i. Mae o'n gwneud i fi deimlo'n sâl erbyn hyn.

'Ti eisiau mynd i fyny grisiau?' mae'n holi pan dwi'n sefyll o'i flaen.

'Nadw, Tom, dwi ddim.' Mae'r jin wedi rhoi hyder i fi ddweud y gwir. 'Dwi byth eisiau siarad efo chdi eto. Ti'n methu 'nghadw i fel cariad wrth gefn *rhag ofn* bod Sarah yn dympio chdi. Dwi byth eisiau dy weld di eto, felly paid â meiddio dod yn agos ata i eto.'

Dwi'n troi i adael, a phwy dwi'n ei weld yn sefyll y tu ôl i mi ond Sarah. O mai god!

'Haia,' meddai hi wrth Tom. 'Nath gwaith orffen yn gynnar, felly dwi wedi dod yma i roi syrpréis i ti.' Mae hi'n edrych arna i yn ddryslyd. 'Haia, Cadi,' meddai'n sych. 'Be sy'n mynd ymlaen?'

Dydy hi ddim yn hoff ohona i, a dwi ddim yn synnu. Mae'n siŵr fod Tom wedi beio popeth arna i, fel taswn i'n rhyw *homewrecker*. Ond mae'n hen bryd iddi glywed y gwir.

'Dy gariad di oedd yn gofyn o'n i eisiau mynd i fyny i'w lofft o efo fo,' medda fi. 'A

85

'nes i ddweud wrtho am beidio dod yn agos
ata i byth eto.'

A gyda hynny, dwi'n gadael. Agoraf ddrws
ffrynt y gwesty i gael awyr iach ac i drio
ffeindio Jacob. A phwy sy'n sefyll yno ond
Rhys.

'Cadi!' meddai. 'Ty'd yma.'

Mae'n rhoi coflaid fawr i mi, ac mae'n
teimlo'n braf bod efo fy ffrind.

'Haia, Rhys,' medda fi. 'Llongyfarch-
iadau.'

Dwi heb ei weld drwy'r dydd, dim ond
yn ystod y seremoni. I feddwl ein bod ni'n
arfer bod yn ffrindiau gorau, dwi'n teimlo
fel taswn i'n colli nabod arno fo.

'Diolch, mêt. Mae'n neis dy weld di.
Dwi'n falch bo' chdi wedi dod. Dwi'n
teimlo'n wael 'mod i heb dreulio lot o amser
efo chdi'n ddiweddar. Ti'n gwybod sut mae
pethau.'

'Dwi'n gwybod sut mae Tom,' medda fi.

'Ia, wel. Dwi wedi bod yn rybish, yn ochri
efo Tom yn lle chdi. Ddylwn i ddim fod wedi
gwneud hynna. Sori, Cads.'

Rhoddaf goflaid fawr iddo eto i ddangos
fod popeth yn iawn rhyngddon ni'n dau.

Mae'n neis bod yn agos at Rhys eto, dwi wedi ei golli o.

'Hei,' medda fo, ''nes i weld dy fod ti yma efo Jacob. Mae o'n lyfli – dwi'n meddwl eich bod chi'n siwtio i'r dim. Mae o'n lot gwell i ti na Tom.'

Dwi bron â chwerthin. Dwi a Jacob wedi bod yn llwyddiannus iawn yn perswadio pawb ein bod ni'n ddau gariad. Mae ein cynllun wedi gweithio.

'O'n i'n meddwl bod o'n *playboy*,' medda fi gan atgoffa Rhys o'r geiriau ddywedodd o rai blynyddoedd yn ôl. Mae Rhys yn chwerthin.

'Na, fuodd Jacob erioed yn *playboy*. Mae o'n lot mwy sensitif na mae pobl yn feddwl.'

'Wyt ti wedi ei weld o?' holaf. 'Dwi'n methu dod o hyd iddo'n unman!'

'Do, nath o ddweud bod rhaid iddo fo fynd. Mi oedd 'na neges eitha rhyfedd i ti hefyd. Rhywbeth fel *dwi wedi mynd 'nôl i fod yn ddim ond mecanic*. Dwn i'm, dwi ddim yn deall. Falle bod o wedi cael gormod i'w yfed.'

'Dim ond mecanic?'

Dwi ddim yn deall y neges chwaith. Meddyliaf am rai eiliadau am ystyr y geiriau, a dyna pryd dwi'n cofio. Dyna'n union ddwedais i wrth Sioned wrth y bar. Mae'n rhaid bod Jacob wedi clywed popeth!

Anadlaf yn ddwfn. Dwi'n dechrau cael panig.

Dwi'n meddwl 'mod i wedi gwneud llanast o bethau.

1 DIWRNOD AR ÔL Y BRIODAS

Jacob

Rwyt ti wedi cyrraedd peiriant ateb Jacob. Gad dy neges ar ôl y dôn. Diolch!

Rwyt ti wedi cyrraedd peiriant ateb Jacob. Gad dy neges ar ôl y dôn. Diolch!

Rwyt ti wedi cyrraedd peiriant ateb Jacob. Gad dy neges ar ôl y dôn. Diolch!

Cadi

Y bore wedyn dwi'n gyrru draw i dŷ Jacob a'i fam. Mae'n rhaid i mi gael gafael arno. Dwi wedi trio ei ffonio ddegau o weithiau, ond dwi'n cyrraedd y peiriant ateb bob tro. Cnociaf ar ddrws y tŷ, a'i fam sy'n ateb.

'Cadi, bore da! Ti yma'n gynnar.' Mae ei fam yn dal i wisgo ei gŵn nos. 'Chwilio am Jacob wyt ti?' Mae hi'n ysgwyd ei phen. 'Mae Jacob wedi mynd, cariad. Yn ôl i Ffrainc. Wnaeth o ddim gadael i ti wybod?'

Dwi'n dweud wrthi 'mod i a Jacob wedi colli ein gilydd neithiwr, ac mae'n rhaid ei fod o wedi gorfod gadael ar frys. Esboniaf

wrthi bod rhaid i mi siarad efo fo mor fuan
â phosib, ond bod ei ffôn yn mynd â fi i'r
peiriant ateb bob tro.

'Dwi angen mynd i Ffrainc ar ei ôl o,'
medda fi wrthi, ac mae hi'n diflannu i'r tŷ i
nôl ei gyfeiriad.

'Ydy popeth yn iawn, cariad?' gofynna
ei fam wrth roi darn bach o bapur gyda
chyfeiriad y garej arno i mi. Ond dwi ddim
yn ei hateb.

2 DDIWRNOD AR ÔL Y BRIODAS

Jacob

Mae hi'n fore dydd Llun a dwi'n agor y garej ym mhentref Le Château-d'Oléron, y tu allan i Rochefort. Do'n i ddim yn disgwyl bod yn ôl yma mor gynnar â hyn, felly does gen i ddim cwsmeriaid heddiw. Ond mae'r twmpath o waith papur ar fy nesg wedi bod yn aros ers wythnosau. Felly dwi'n dechrau arni, a dwi'n falch o gael rhywbeth i dynnu fy sylw.

Dyma pam dwi ddim yn disgyn mewn cariad, dwi'n dweud wrtha i fy hun. Dyma'n union pam. Mae o lot haws na chael dy frifo.

Dwi'n gweithio tan amser cinio ac yna mae fy stumog yn dechrau grwnian. Mae marchnad yn y sgwâr heddiw, felly gadawaf fy nesg a cherdded yn araf drwy'r strydoedd i chwilio am bryd o fwyd. Mae Le Château-d'Oléron ar ynys fach oddi ar arfordir Ffrainc, a dyma un o'r llefydd gorau yn y byd i fwyta wystrys ffres. Mae'r pysgotwyr yn codi'n gynnar bob bore i gasglu llond bwcedi o wystrys ac yna'n eu gwerthu yn y farchnad am gwpwl o Ewros bob prynhawn.

Dwi'n gwau fy ffordd drwy'r dorf tuag at fy hoff stondin, lle mae Thibault yn gwerthu'r wystrys gorau yn y pentref. Dwi'n prynu chwech ac yn eistedd ar stôl fach bren wrth ochr y stondin. Mae Thibault yn dod â'r plataid llawn draw ata i ac yn gwasgu lemwn ffres drostyn nhw. Does 'na ddim byd fel wystrys a lemwn i glirio pen dryslyd. Mae'n gofyn ble bues i mor hir, ond dwi'n chwifio fy llaw arno ac yn dweud y gwna i esbonio ryw dro eto. Dwi ddim eisiau meddwl am Gymru. Mae'r lle yn llawn atgofion drwg.

Cadi

Am hunllef o daith! Cyrhaeddais Portsmouth nos Sul yn disgwyl dal fferi'n syth, ond ces wybod bod y cychod i gyd yn llawn tan y bore. Felly bu raid i mi ffeindio gwesty am y noson, ond chysgais i ddim winc. Croesais y Sianel ben bore Llun, ar ôl ffonio'r gwaith i ddweud na fyddwn i yn ôl yn y swyddfa am rai diwrnodau. Erbyn hyn mae hi'n amser cinio a dwi'n dal i yrru tuag at Rochefort. Gyrru, gyrru, gyrru ar hyd y draffordd, ac mae pob man yn edrych mor ddieithr.

Dwi'n poeni ei bod hi'n rhy hwyr. Dwi'n poeni 'mod i wedi dweud pethau na fedr Jacob eu maddau.

Dwi'n stopio am ginio mewn caffi bach ar ochr y ffordd ond dwi prin yn gallu siarad gair o Ffrangeg, dim ond ambell air o fy arholiadau TGAU. Mi fasa popeth gymaint haws tasa Jacob yma gyda fi. Gyrraf eto i lawr y draffordd ac yna, o'r diwedd, gwelaf arwydd am Rochefort. Mae'n rhaid 'mod i'n agos erbyn hyn – dwi'n gwybod o'r map bod Jacob yn byw ar ynys fechan heibio'r dref. A dyna pryd dwi'n gweld y môr. Mae fel carped glas o fy mlaen, a phont hir yn ymestyn o'r tir mawr i'r ynys.

Dwi bron yno.

Jacob, dwi bron yma.

Jacob

Mae'r wystrys yn llithro i lawr i fy stumog yn rhy hawdd. Dwi'n canmol Thibault eto am y pryd ac yn codi o'r stôl. Prynaf fara a lwmp o gaws yn y farchnad a mynd i fy hoff gaffi ar y sgwâr i gael coffi. Eisteddaf wrth y ffenest i wylio'r byd yn mynd heibio. Mae'r farchnad yn brysur heddiw, ac mae pawb yn rasio drwy'r strydoedd yn ceisio gorffen eu siopa. Mae fy meddwl i'n rasio hefyd.

Cadi

Dwi bron â chrio wrth weld y clo mawr ar ddrws y garej.

Dwi'n gwybod, am syniad gwirion oedd gyrru yr holl ffordd yma heb wybod oedd Jacob yma ai peidio. Be os ydy o'n dal yng Nghymru? Be os ydy o wedi mynd i weld ffrind, neu i aros efo merch, er mwyn anghofio amdana i? Be os ydy hi'n rhy hwyr?

Mae'r stryd yn dawel fel y bedd a does neb o gwmpas i fy helpu. Dwi'n dechrau cerdded i lawr at yr afon gan obeithio y bydd Jacob yn dod rownd y gornel unrhyw funud. Ond does dim sôn amdano. Mae sŵn pobl ym mhen draw'r stryd, felly dwi'n dilyn y twrw. Mae'n edrych fel marchnad fwyd.

Cyrhaeddaf y sgwâr ac mae degau o stondinau bach yn gwerthu pob math o bethau. Wystrys, rhan fwyaf, ond bara a chaws hefyd, siocled a choffi, a llysiau o bob lliw a llun. Tybed ydy un o'r stondinwyr yn adnabod Jacob?

'*Pardonnez-moi*,' medda fi yn fy Ffrangeg gorau (gwael iawn) wrth y dyn sy'n gwerthu llysiau, 'ym... *do you know* Jacob?'

Mae o'n ysgwyd ei ben, ac yn pwyntio at ei foron gan obeithio eu gwerthu. Cerddaf o amgylch y farchnad yn teimlo'n anobeithiol.

Dwi angen mynd adre. Roedd hyn yn syniad gwirion.

Jacob

Pan welaf i'r ferch benfelen yn crwydro'r farchnad, dwi'n meddwl mai fy ymennydd i sy'n chwarae triciau arna i. Mae hi'n edrych yn union fel Cadi.

Dwi'n flin efo fi fy hun am feddwl amdani cymaint. Ond yna, dwi'n sylweddoli. Cadi ydy hi.

Taflaf gwpwl o Ewros ar fwrdd y caffi a brysio i'r sgwâr. Mae hi mor brysur nes 'mod i'n colli golwg arni hi. Ond dwi'n troi'r gornel ac mae hi yno, o flaen y ffynnon ddŵr. Ac mae hi'n edrych reit arna i.

Cadi

Mae'n siŵr mai fy ymennydd i sy'n chwarae triciau arna i.

Ai Jacob ydy hwnna go iawn?

Cerddaf ato yn araf bach. Dwi'n croesi fy mysedd, yn gobeithio na fydd o'n fy nghasáu.

Jacob

Mae hi'n sefyll yma, o fy mlaen. Mae hyn yn teimlo mor od. Pam mae Cadi yn Le Château-d'Oléron, yng nghanol prysurdeb y farchnad? Sut mae hi'n gwybod lle dwi'n byw?

'Plis maddau i fi,' meddai hi'n syth, a dwi'n gweld ei bod hi'n crio. 'Plis. Dwi'n gwybod be glywest ti, ond do'n i ddim yn golygu gair. Ro'n i'n trio perswadio fy hun 'mod i ddim yn dy licio di, ond fi oedd yn anghywir. Achos dwi yn. Dwi *yn* dy licio di. A dwi'n gobeithio galli di faddau i mi.'

Dwi'n edrych arni eto. Dwi'n adnabod y ferch yma ers llai nag wythnos, ond fedra i ddim stopio meddwl amdani. Mae hi wedi fy swyno. Mae hi'n fy synnu, fy syfrdanu, ac yn gwneud i mi chwerthin. Mae hi'n hwyl, ac mae hi'n ddiddorol. Ond ydy hi'n dal i fod mewn cariad efo Tom?

'Glywes i chdi a Sioned, do,' medda fi, ac mae Cadi'n edrych fel petai hi'n torri ei chalon. 'Clywed chdi'n dweud dy fod ti am fynd ar ôl Tom.'

'Es i at Tom i ddweud wrtho fo am beidio dod ar fy ôl i, byth eto. Dwi ddim eisiau unrhyw beth i'w wneud efo Tom. Dwi eisiau chdi.'

A dwi'n ei thynnu hi tuag ata i gerfydd ei chanol, ac yn rhoi cusan fawr, hir iddi.

Cadi

Mae Jacob yn blasu fel tonnau'r môr, a lemwn, a choffi.

Mae fy stumog i'n gwneud campau ac mae fy mhen i bron â ffrwydro. Rydyn ni'n cusanu am oesoedd, neu efallai mai dim ond eiliadau sy'n mynd heibio. Mae'n anodd canolbwyntio ar unrhyw beth ond y gusan.

Dwi'n ei ddilyn yn ôl tuag at y garej, a dwi'n gallu arogli'r olew wrth gerdded heibio. Mae Jacob yn hollol gywir – mae rhywbeth cysurus iawn am yr arogl. Tu ôl i'r garej mae bwthyn bach gyda drws a ffenestri bach glas. Mae'n edrych fel rhywbeth o straeon tylwyth teg. Dwi'n adnabod y car gwyrdd sydd wedi ei barcio y tu allan. Dyma lle mae Jacob yn byw? Mae'r boi yma'n fy synnu i bob diwrnod.

2 FLYNEDD AR ÔL Y BRIODAS

Jacob

Dwi'n casáu priodasau. Dwi'n casáu'r holl ffws a ffwdan am un diwrnod hir a diflas. Dwi'n casáu cacennau priodas, sydd o hyd yn rhy sych. Gorfod ffug-chwerthin ar jôcs gwael y gwas priodas, a gwenu bob tro mae'r ffotograffydd yn dod heibio. Y blodau pinc a'r holl ffrils. Dwi'n casáu pob dim am briodasau, ond mae dy briodas dy hun yn wahanol.

Does dim cacen sych yn ein priodas ni, dim ond bwcedi o wystrys ffres o'r môr. A digonedd o fara, caws, siocled a gwin Ffrengig! A does dim blodau pinc na ffrils chwaith. Rydyn ni wedi gosod byrddau yn sgwâr y dref, gyda dim ond y tai a'r môr yn addurniadau. Does dim ffug-chwerthin, a dwi a Cadi ddim yn gorfod ffugio unrhyw beth erbyn hyn. Mae'r parti yn llawn o gwmni da ein rhieni a'n ffrindiau. Mae Mam, hyd yn oed, wedi dod i ddathlu. Ac mae hi wrth ei bodd yma yn creu atgofion newydd ac yn cael gwared o'r hen ysbrydion. Mae Sioned a Iolo, a Rhys a Lisa, wedi dod draw hefyd. Ac mae Léo, Thibault a holl drigolion y pentref yn ymuno yn yr hwyl. A dydy jôcs Rhys, y gwas priodas, ddim yn rhy wael chwaith, chwarae teg.

Yndw, dwi'n dal i gasáu priodasau. Ond dwi ddim yn casáu *priodi* erbyn hyn.

Ond mae 'na un peth sy'n well na dim am dy briodas dy hun.

Ti'n gallu dyfalu be? Ie, does neb yn gofyn 'pryd wyt ti'n mynd i briodi?' neu 'pryd wyt ti am setlo i lawr?'

Achos dwi wedi gwneud hynny.

Hefyd yn y gyfres:

Stori Sydyn

£1
yn unig

Y Stelciwr

Manon
Steffan Ros

y Lolfa

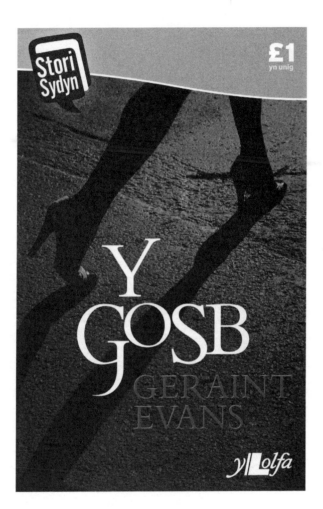

£1
yn unig

Y GOSB

GERAINT EVANS

yLolfa

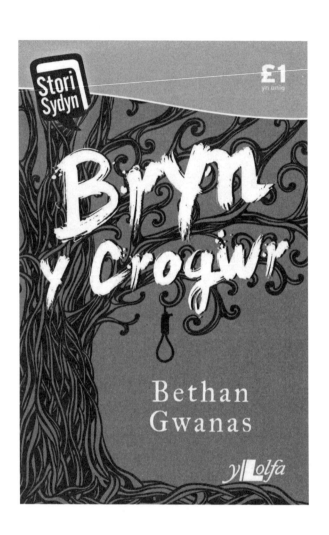

Stori
Sydyn

£1
yn unig

Bryn
y Crogwr

Bethan
Gwanas

y Lolfa

Llongyfarchiadau ar gwblhau un o lyfrau Stori Sydyn 2022

Mae prosiect Stori Sydyn, sy'n cynnwys llyfrau bachog a byr, wedi'i gynllunio er mwyn denu darllenwyr yn ôl i'r arfer o ddarllen, a gwneud hynny er mwynhad. Gobeithiwn, felly, eich bod wedi mwynhau'r llyfr hwn.

Hoffi rhannu?

Gall eich barn chi wneud y prosiect hwn yn well. Nawr eich bod wedi darllen un o lyfrau'r gyfres Stori Sydyn, ewch i www.darllencymru.org.uk i roi eich sylwadau neu defnyddiwch @storisydyn2022 ar Twitter.

Pam dewis y llyfr hwn?
Beth oeddech chi'n ei hoffi am y llyfr?
Beth yw eich barn am y gyfres Stori Sydyn?
Pa Stori Sydyn hoffech chi ei gweld yn y dyfodol?

Beth nesaf?

Nawr eich bod wedi gorffen un llyfr Stori Sydyn – beth am ddarllen un arall? Edrychwch am deitl arall cyfres Stori Sydyn 2022.